Summer,

Spero che la difficoltà di tradurre sarà diminuito di sapori sorprendenti!

Buon Appetito!

♡ always,
Jennifer

GLI GNOCCHI E LA PASTA FRESCA

Testi di Annalisa Barbagli

Progetto grafico: Lorenzo Pacini
Impaginazione: Adriano Nardi
Editing: Adriana Rigutti

Referenze iconografiche
Tutte le foto sono di Archivio Giunti/Paolo della Corte eeccezione delle seguenti:

Fotolia: ©Marco Mayer p. 21

Fabio Cremonesi/Archivio Giunti: pp. 88, 90, 91

Foto di copertina: ©Lorenzo Mennonna
Set styling: Giovanna Gentile

Si ringrazia Richard Rossi per la collaborazione nella preparazione del piatto in copertina.

www.piattoforte.it

www.giunti.it

Ristampa	Anno				
5 4 3 2 1 0	2020	2019	2018	2017	2016

MISTO
Carta da fonti gestite
in maniera responsabile
FSC® C023532

Stampato presso Giunti Industrie Grafiche S.p.A. - Stabilimento di Prato

SOMMARIO

GNOCCHI

CULURGIONES

Ingredienti per 6 persone

Per la pasta:
500 g di **farina 00**
2 cucchiai d'**olio**
sale

Per il ripieno:
3 cucchiai d'**olio**
1 **cipolla** tritata
2 spicchi d'**aglio** interi
500 g di **patate** lesse
300 g di **pecorino sardo** stagionato
200 g di **ricotta**
2 o più rametti di **menta romana** fresca tritata
sale

I culurgiones o culurgionis o culirgiones, a seconda della zona della Sardegna in cui ci si trova, sono grossi ravioli ripieni di patate, tipici della cucina tradizionale sarda, e si possono fare così.

Lessate le patate come al solito, in acqua salata inizialmente fredda. Fate rosolare dolcemente in 3 cucchiai d'olio d'oliva, una cipolla tritata e 2 spicchi d'aglio interi e, quando tutto ha preso un leggero colore dorato, passate il soffritto al colino lasciando cadere quest'olio profumato in una ciotola ampia.

Quando le patate sono cotte, sbucciatele e passatele allo schiacciapatate dentro la ciotola. Unite abbondante pecorino sardo stagionato grattugiato, qualche cucchiaiata di ricotta, la menta fresca tritata e il sale. Amalgamate bene e lasciate riposare in frigo per qualche ora.

Impastate 500 g di farina di grano duro (semola) con acqua, 2 cucchiai d'olio e un bel pizzico di sale, e passate la pasta alla macchinetta fino al penultimo spessore. Ritagliate un buon numero di dischi di 8 cm di diametro. Tenendo un disco nel palmo della mano, metteteci un grosso cilindro di ripieno e chiudete a mezzaluna pizzicando i bordi per formare un disegno a spiga. L'operazione non è molto facile, ma i culurgiones sono altrettanto buoni se li chiudete e li tagliate con la rotella come normali ravioli.

Cuoceteli per 5 minuti in acqua salata bollente fino al momento in cui vengono a galla. Conditeli con sugo di pomodoro e pecorino grattugiato.

GNOCCHETTI DI SPINACI

Pulite gli spinaci e lasciateli per un po' immersi nell'acqua in modo che si stacchino i residui terrosi. Sciacquateli più volte sotto l'acqua corrente e raccoglieteli in una pentola, senza aggiungere acqua oltre quella rimasta dopo il lavaggio. Mettete il coperchio e fate cuocere per circa 10 minuti.

A cottura ultimata, scolateli tirandoli su con la schiumarola in modo che se c'è ancora qualche granello di terra, rimanga sul fondo. Quando sono tiepidi, strizzateli forte fra le mani per eliminare più acqua possibile e tritateli finemente a coltello, senza frullarli. Se vedete che sono rimasti troppo umidi, fateli asciugare per qualche minuto sul fuoco, in una padella antiaderente e senza condimento. Raccoglieteli in una terrina con la ricotta, i tuorli, il Parmigiano e un cucchiaio colmo di farina. Insaporiteli con sale, pepe e noce moscata e mescolate bene, schiacciando con una forchetta in modo da ottenere un impasto omogeneo.

Tirate su una piccola noce di composto e, passandola sul tagliere infarinato, datele la forma di una grossa oliva. Via via che sono pronti, sistemate gli gnocchetti su un canovaccio infarinato. Mettete sul fuoco l'acqua in una pentola più larga che alta, e quando bolle, salatela e calate, con delicatezza, gli gnocchetti.

Quando vengono a galla, tirateli su con una schiumarola, lasciateli un attimo sgocciolare e passateli in una pirofila leggermente imburrata. Spolverateli con il Parmigiano e versateci sopra tutto il burro fuso. Poi metteteli per qualche minuto nel forno caldo prima di servirli.

GNOCCHI ALLA PARIGINA

Ingredienti per 4-6 persone

Per l'impasto:
250 ml di una **miscela di acqua e latte** in parti uguali
150 g di **farina 00**
100 g di **burro**
4 **uova**
60 g di **Gruyère** o **Parmigiano** grattugiato
noce moscata
sale

Per la salsa:
500 g di **besciamella**
100 ml di **panna** liquida fresca
50 g di **Gruyère** o **Parmigiano** grattugiato
sale e **pepe bianco**

Setacciate la farina. Versate acqua e latte in una casseruola a fondo pesante e unite il burro a pezzetti e un pizzico di sale. Appena si alza il bollore e il burro è tutto sciolto, ritirate la casseruola dal fuoco e versate in un sol colpo tutta la farina, mescolando energicamente con il cucchiaio di legno. Rimettete la casseruola sul fuoco, abbassate un po' la fiamma e continuate a mescolare per 3 o 4 minuti fino a quando la pasta si staccherà dalle pareti in un blocco unico, sfrigolando.

Lasciate intiepidire, mescolando spesso, e quando la pasta è quasi fredda unite le uova, uno alla volta, mescolando energicamente senza unire il successivo fino a quando il precedente non è ben amalgamato. A questo punto unite il formaggio e la noce moscata e sbattete energicamente con la frusta a gancio per 4-5 minuti. Trasferite il composto in un sac à poche con bocchetta liscia da 1 cm.

Mettete sul fuoco una casseruola larga con abbondante acqua salata. Quando si alza il bollore, abbassate la fiamma. Stringete delicatamente il sac à poche con una mano e fate uscire un cilindretto di pasta di circa 1,5 cm mentre con l'altra mano tuffate un coltello nell'acqua e tagliate uno gnocco, a raso della bocchetta. Continuate così, bagnando sempre il coltello, fino a esaurire la pasta. Quando gli gnocchi tornano a galla, lasciateli bollire per 1 minuto, scolateli con una schiumarola e distribuiteli su un panno.

Quando la besciamella è pronta, ritiratela dal fuoco e unite la panna, il formaggio e una macinata di pepe bianco, amalgamando bene e regolando il sale. Mettete gli gnocchi in una pirofila imburrata, copriteli con la salsa e passateli a gratinare nel forno a 200 °C per circa un quarto d'ora.

LA BESCIAMELLA CLASSICA

Le dosi classiche per fare la besciamella
sono 50 g di burro, 50 g di farina
e 500 ml di latte. A seconda dell'uso,
però, possono cambiare (vedi p. 43):
più latte se serve maggior umidità,
come per gratinare la pasta al forno,
meno se serve più compattezza,
come per sformati e crocchette.

GNOCCHI DI PATATE AL POMODORO

Ingredienti per 4-6 persone

Per l'impasto:

1 kg di **patate** vecchie
a polpa bianca di dimensioni
più o meno uguali

300 g circa di **farina 00**
setacciata

1 cucchiaio di **grappa**

sale

Per il sugo:

400 g di **pomodori pelati**

3 cucchiai d'**olio
extravergine d'oliva**

1 **cipolla**

1 **carota** raschiata

1 costa di **sedano**

1 fettina di **pancetta tesa**
(a piacere)

basilico

sale e **pepe**

Per completare:

Parmigiano grattugiato

Lavate le patate e fatele lessare in acqua poco salata inizialmente fredda. Mentre le patate cuociono, preparate il sugo. Spellate la cipolla e tritatela con la carota raschiata e la costa di sedano (se c'è, tritate anche una fettina di pancetta tesa). Scaldate l'olio in una casseruola e fate appassire dolcemente il trito di verdure. Dopo una decina di minuti, quando comincia a prendere colore, unite i pelati tritati grossolanamente e un ciuffo di basilico. Insaporite con sale e pepe e fate cuocere con il coperchio per circa 40 minuti.

Quando le patate sono pronte, scolatele e, ancora calde, sbucciatele e passatele allo schiacciapatate lasciandole cadere sulla spianatoia infarinata. Allargate un po' il passato e lasciatelo quasi raffreddare prima di aggiungere un po' di farina e cominciare a impastare, unendo via via altra farina fino a che il composto non si attacca più alle mani (ne serviranno 200-250 g).

A questo punto, dividete l'impasto in 3 o 4 pezzi e, rotolandoli sulla spianatoia infarinata, ricavate dei cannelli di circa 1,5 cm di diametro. Con un coltello ben affilato, tagliateli a pezzetti regolari di 1,5 cm. Quando gli gnocchi sono pronti, spolverateli leggermente di farina e rotolateli sulla spianatoia con le mani aperte per dar loro una forma tondeggiante.

Passate ogni gnocco sulla tavoletta rigata, sul retro di una grattugia, o sui rebbi di una forchetta, esercitando una leggera pressione con il pollice in modo da creare una fossetta che raccoglierà il sugo. Teneteli in attesa su un panno infarinato e cuoceteli al massimo entro un'ora, meglio se mezza (se gli gnocchi attendono si rischia che si disfino in cottura). Calateli in abbondante acqua salata in ebollizione e tirateli su con la schiumarola 1 minuto dopo che sono venuti a galla. Via via che le scolate, passateli nel piatto di servizio e conditeli con il sugo e il Parmigiano.

La scienza probabilmente è scettica, ma un cucchiaio di grappa aggiunto all'impasto rende gli gnocchi più leggeri e digeribili. Provateci, anche se ci sono bambini: con il calore, l'alcol evapora tutto!

GNOCCHI DI RICOTTA
CON SALSA DI POMODORO CRUDO

Ingredienti per 4 persone

Per l'impasto:

250 g di **ricotta di pecora**

150 g di **farina di grano duro**
(semola rimacinata)

50 g di **Parmigiano** o **pecorino**
grattugiato

noce moscata

timo fresco oppure **basilico,
prezzemolo, erba cipollina**
o ancora un **mix di erbe**

sale

Per la salsa:

500 g di **pomodori da sugo**
ben maturi

3 cucchiai d'**olio
extravergine d'oliva**

4-5 foglie di **basilico**

½ cucchiaino di **timo fresco**

½ cucchiaino di **prezzemolo**
fresco tritato

scorza di ½ **limone** non trattato

½ spicchio d'**aglio** grattugiato

sale e **pepe**

Se la ricotta non è del tipo asciutto, mettetela in un colino e fatela scolare, in frigorifero, per tutta la notte; quindi setacciatela dentro una ciotola e unite la farina, il Parmigiano, un cucchiaio di timo tagliuzzato, una grattata di noce moscata e una presa di sale. Amalgamate molto bene impastando con le mani fino a quando il composto è perfettamente omogeneo.

Prendete un po' di impasto alla volta e rotolatelo sulla spianatoia infarinata formando dei lunghi cilindri di circa 1 cm di spessore. Tagliateli a tocchetti di circa 1 cm di lunghezza e, una volta tagliati tutti, rotolateli fra i palmi infarinati formando delle palline che schiaccerete leggermente con un dito per formare una fossetta.

Per la salsa, incidete i pomodori alla base, tuffateli per mezzo minuto in acqua che bolle, passateli nell'acqua fredda e spellateli. Divideteli a metà, eliminate la parte dei semi e tagliateli a cubettini, poi salateli, metteteli in un colino e lasciateli sgocciolare per un paio d'ore. Raccoglieteli poi in una ciotola e unite il basilico sminuzzato, mezzo cucchiaio di foglioline di timo, altrettanto prezzemolo, la scorza di limone grattugiata, l'aglio grattugiato, l'olio e una macinata di pepe.

La salsa è pronta: copritela con la pellicola e tenetela in frigorifero fino al momento di usarla (anche fino al giorno dopo).

Calate gli gnocchi in abbondante acqua salata in ebollizione e quando vengono a galla, fateli bollire ancora un paio di minuti prima di tirarli su con la schiumarola e condirli con la salsa scaldata.

GNOCCHI DI SEMOLINO ALLA ROMANA

Ingredienti per 4-5 persone

240 g di **semolino**
1 l di **latte intero**
2 **tuorli**
100 g di **burro**
100 g di **Parmigiano** grattugiato
sale e **pepe bianco**

Mettete sul fuoco il latte con una presa di sale e una macinata di pepe, in una casseruola a fondo pesante, interponendo una reticella rompifiamma. Quando si alza il bollore, unite il semolino versandolo a pioggia e mescolando contemporaneamente con una frusta. Appena si è addensato, sostituite la frusta con un cucchiaio di legno, abbassate la fiamma e fate cuocere per 10 minuti mescolando continuamente.

Levatelo dal fuoco e unite una bella noce di burro e, di seguito, uno alla volta, i tuorli. Amalgamate molto bene e rovesciate il composto su un piano di marmo bagnato d'acqua o su una placca rivestita di carta da forno. Con una spatola di metallo o un lungo coltello a lama larga, stendete subito il composto formando uno strato regolare di 1 cm abbondante di spessore: l'operazione è piuttosto semplice ma richiede un po' di cura, ricordando di bagnare continuamente nell'acqua la spatola o il coltello. Poi coprite con un panno e lasciate raffreddare e rassodare per almeno 2 ore.

Fate fondere il burro. Con un tagliapasta da 4 cm, o con un bicchiere piccolo, ritagliate dei dischi dall'impasto. Imburrate una pirofila e disponeteci un primo strato di dischi e i ritagli più integri. Spolverate con Parmigiano e sgocciolate qua e là poco burro. Fate un secondo strato con i dischi, accavallandoli leggermente, e conditeli col burro e il Parmigiano. Continuate così fino a esaurire gli ingredienti, restringendo, via via, il perimetro di ogni strato, in modo da formare una specie di cupola. Sull'ultimo strato, dopo il Parmigiano, aumentate un po' la quantità di burro fuso.

Passate la pirofila nel forno riscaldato a 200 °C per circa 15 minuti, fino a leggera gratinatura, e fate intiepidire gli gnocchi prima di servirli.

FORMA E SAPORE

Scegliere la classica forma tonda lascia molti scarti: si può evitare facendo gnocchi a losanghe o quadrati. Per evitare poi che tutti si contendano il "piano alto" dalla leggera crosticina, usate una pirofila larga e disponeteli in un solo strato.

UNO STRUMENTO AD HOC

Per preparare questi gnocchetti serve
un utensile apposito, una via di mezzo
fra grattugia e schiacciapatate.
In Alto Adige e Trentino si trova dovunque,
altrove bisogna rivolgersi ai negozi
specializzati di casalinghi o al web.

SPINATSPÄTZLE

Ingredienti per 4 persone

Per l'impasto:
250 g di **farina 00**
300 g circa di **spinaci freschi**
2 **uova**
100 ml di **latte intero**
noce moscata
1 cucchiaio colmo
di **Parmigiano** grattugiato
sale

Per il condimento:
50 g di **burro**
50 g di **speck** affettato
Parmigiano grattugiato

Per preparare i tradizionali gnocchetti verdi tirolesi, cominciate pulendo gli spinaci, lavateli più volte e cuoceteli per pochi minuti in una casseruola con la sola acqua rimasta dopo il lavaggio. Scolateli, fateli intiepidire e strizzateli fortemente fra le mani (pesandoli ne dovreste avere 150 g). Se non li avete freschi, usate la stessa quantità di quelli surgelati. Tritateli finemente a coltello senza frullarli.

Setacciate la farina in una ciotola e, mescolando con una frusta, unite il latte e le uova. Quando la pastella è liscia e omogenea, aggiungete gli spinaci, la noce moscata grattugiata, il Parmigiano e una presa di sale. Mescolate bene e lasciate riposare per una mezz'ora. Intanto preparate il condimento. Fate fondere il burro in una padella, unite lo speck tagliato a listarelle e fatelo rosolare a fuoco dolcissimo per pochi minuti.

Mettete sul fuoco una casseruola con abbondante acqua salata. Quando stacca il bollore, versate parte della pastella nell'utensile per fare gli spätzle e, muovendo lentamente la vaschetta, fate scendere gli gnocchetti nell'acqua. Continuate fino a esaurire l'impasto e fate bollire gli gnocchetti, a fuoco medio, finché vengono tutti a galla.

Tirateli su con la schiumarola e passateli subito nella padella con il condimento, dove li farete insaporire per un paio di minuti mescolando delicatamente. Passateli nel piatto da portata e spolverateli di Parmigiano.

STRANGOLAPRETI AGLI SPINACI

Ingredienti per 4 persone

Per l'impasto:
1 kg di **spinaci freschi** oppure
500 g di **spinaci surgelati**
100 g circa di **pangrattato**
2 **uova**
2 cucchiai di **farina 00**
1 spicchio d'**aglio**
50 g di **Parmigiano** grattugiato
1 cucchiaio di **prezzemolo**
sale

Per la salsa:
2 **scalogni**
2 **salsicce fresche**
250 g di **passata di pomodoro**
2 cucchiai **d'olio**
extravergine d'oliva
vino bianco
sale e **pepe**
Parmigiano grattugiato

Pulite gli spinaci e sciacquateli più volte in acqua abbondante. Metteteli in una casseruola con la sola acqua rimasta dopo il lavaggio, chiudete con il coperchio e fateli cuocere per 5-6 minuti. Scolateli tirandoli su con la schiumarola e, quando sono tiepidi, strizzateli fortemente fra le mani e tritateli finemente a coltello (evitate di frullarli).

Dividete lo spicchio d'aglio in due e strofinate l'interno di una ciotola con le due metà, premendo bene. Raccoglieteci gli spinaci con le uova intere, un cucchiaio di prezzemolo tritato, il Parmigiano, la farina setacciata e il pangrattato necessario per ottenere un composto sodo. Impastate con le mani fino ad avere un impasto ben omogeneo, poi rovesciatelo sulla spianatoia infarinata.

Dividetelo in pezzi e rotolateli sulla spianatoia ottenendo dei cilindretti di 2 cm circa di diametro. Tagliateli a pezzetti più o meno della stessa misura e premeteli leggermente con un dito per incavarli. Via via che sono pronti, allineateli su un panno infarinato prestando attenzione che non si tocchino fra loro.

Per il condimento, fate appassire dolcemente gli scalogni affettati in una padella con l'olio, poi unite le salsicce sbriciolate, rialzate la fiamma e fate ben rosolare. Sfumate con due dita di vino e aggiungete la passata di pomodoro. Insaporite con sale (poco) e pepe, mettete il coperchio e fate cuocere il sugo per circa 40 minuti.

Cuocete gli strangolapreti in abbondante acqua salata in ebollizione e, appena vengono a galla, tirateli su con la schiumarola e metteteli nel piatto da portata. Conditeli con il sugo di salsiccia e spolverateli di Parmigiano.

PASTA FRESCA SEMPLICE

BIGOLI MORI IN SALSA

Ingredienti per 4 persone

Per la pasta:
200 g di **farina 00**
200 g di **farina integrale**
1 **uovo**
sale

Setacciate la farina bianca sulla spianatoia e miscelatela con quella integrale. Fate la fontana e metteteci l'uovo sbattuto, una presa di sale e poca acqua tiepida, necessaria per ottenere un impasto molto consistente. Amalgamate un po' con la forchetta portando poca farina verso il centro e poi impastate fino ad avere un composto omogeneo. Raccoglietelo a palla e fatelo riposare per una mezz'ora avvolto nella pellicola.

Preparate i bigoli con l'apposito torchio (bigolaro) o con il tritacarne.

Per la salsa:
300 g di **cipolle chiare**
80 g di **acciughe sotto sale**
1 spicchio d'**aglio**
4 cucchiai d'**olio extravergine d'oliva**
pepe di mulinello

Per la salsa, dopo averle spellate, tritate finemente le cipolle con lo spicchio d'aglio. Scaldate l'olio in un tegame a fondo pesante, unite le cipolle, mescolate e fate stufare a fuoco dolce per una mezz'ora. Le cipolle non devono prendere colore, quindi quando è necessario unite 1-2 cucchiai d'acqua calda.

Raschiate le acciughe, sciacquatele rapidamente, poi asciugatele e diliscatele. Quando le cipolle sono pronte, unite le acciughe spezzettate e fatele sciogliere, sempre a fuoco dolce, nella salsa di cipolle. Completate la salsa con un'abbondante macinata di pepe.

Cuocete i bigoli in abbondante acqua salata in ebollizione, scolateli e conditeli con la salsa caldissima.

STRUMENTI

Se non avete un torchio per bigoli,
potete far passare i pezzi di pasta
in un tritacarne montato senza la lama
a croce e usando il disco con i fori
più piccoli (3 mm).

CORZETTI STAMPATI CON PINOLI E MAGGIORANA

Ingredienti per 4 persone

Per la pasta:
300 g di **farina 00**
2 **tuorli**

Per il condimento:
60 g di **burro**
1 cucchiaio colmo di **pinoli**
maggiorana fresca
Parmigiano grattugiato

Setacciate la farina sulla spianatoia, fate una fontana larga e metteteci i tuorli e mezzo bicchiere d'acqua (100 ml circa) appena tiepida. Amalgamate un po' gli ingredienti con la forchetta portando poca farina verso il centro e poi impastate per una decina di minuti. Formate una palla e fatela riposare per almeno mezz'ora, a temperatura ambiente, avvolta nella pellicola.

Dopo il riposo, dividetela in 3 pezzi e, dopo averli un po' stesi con il matterello, passateli uno alla volta fra i rulli della macchinetta cominciando dallo spessore più largo e, via via, attraverso tutti gli altri, per arrivare fino al penultimo: per evitare che si secchi la superficie della pasta, conservate i pezzi in attesa nella pellicola.

Con la parte inferiore dello stampino o, meglio, con un tagliapasta da 5 cm, ritagliate i dischi e, via via che sono pronti, premeteli forte fra le due parti dello stampino leggermente infarinate, e distendeteli su un panno infarinato.

Per il condimento, versate i pinoli in una padellina e fateli tostare a fuoco moderato. Fate fondere il burro in una padella con qualche rametto di maggiorana fresca e lasciate soffriggere per qualche minuto a fuoco dolcissimo.

Cuocete i corzetti per pochi minuti in abbondante acqua salata in ebollizione, scolateli e versateli nel piatto da portata, conditeli poi con il burro aromatizzato, i pinoli, qualche fogliolina di maggiorana fresca e il Parmigiano grattugiato.

Sono ottimi anche con il pesto classico al basilico.

FETTUCCINE ALLA ROMANA

Ingredienti per 4 persone

Per la pasta:
150 g di **farina 00**
150 g di **farina di grano duro**
(semola rimacinata)
3 **uova**

Setacciate le farine sulla spianatoia, fate una fontana larga e rompeteci le uova. Amalgamate un po' con la forchetta portando poca farina verso il centro, e poi impastate per una decina di minuti. Formate una palla e fatela riposare per una mezz'ora, a temperatura ambiente, avvolta nella pellicola.

Dividete la pasta in 3 pezzi e, dopo averli un po' appiattiti con il matterello, passateli uno alla volta alla macchinetta cominciando dallo spessore più largo e via via in quelli più piccoli fino al penultimo, ottenendo così 3 striscie di pasta sottile (i pezzi in attesa di essere lavorati vanno tenuti avvolti nella pellicola per evitare che si secchino).

Lasciate un po' asciugare le strisce di pasta prima di ritagliare le fettuccine, larghe poco meno di 1 cm.

>>>

In attesa di cuocerle, allargatele su un panno spolverato di semola oppure lasciatele sul tagliere.

Cuocetele in abbondante acqua salata in ebollizione e scolatele ben al dente, lasciandole un po' scivolose.

Versatele in una zuppiera scaldata e conditele con il sugo ben caldo. Mescolate bene e completate il condimento con il Parmigiano grattugiato.

Per il sugo:

50 g di **gambuccio di prosciutto** affettato

20 g di **funghi secchi**

1 **cipolla** piccola

2 cucchiai d'**olio extravergine d'oliva**

250 g di **polpa di pomodoro**

3 **fegatini di pollo**

30 g di **burro**

1 foglia di **alloro**

vino bianco

brodo di carne

sale e **pepe**

Parmigiano grattugiato

Mettete in ammollo i funghi secchi in una tazza d'acqua tiepida. Tritate finemente la cipolla con il gambuccio di prosciutto e fate soffriggere dolcemente il trito in un tegame con l'olio.

Quando comincia a prendere colore, aggiungete la polpa di pomodoro e, di seguito, i funghi ben strizzati e tagliati grossolanamente. Aggiungete pepe e poco sale e fate cuocere per circa 45 minuti.

Ripulite i fegatini dai nervetti, lavateli e asciugateli, poi tagliateli a fettine.

Scaldate il burro in una piccola padella con la foglia di alloro a pezzetti, unite i fegatini e fateli ben rosolare per pochi minuti. Sfumate con due dita di vino e di seguito bagnate con 3-4 cucchiai di brodo.

Insaporite con sale e pepe e fate cuocere a fuoco dolce per meno di 10 minuti, poi versate tutto il contenuto della padella nel sugo di pomodoro ormai pronto. Mescolate e spengete il fornello.

GARGANELLI AL PROSCIUTTO

Ingredienti per 4 persone

Per la pasta:
300 g di **farina 00**
100 g di **farina di grano duro**
(semola rimacinata)
4 uova
40 g di **Parmigiano** grattugiato

Per il condimento:
80 g di **burro**
100 g di **prosciutto**
di Parma affettato
Parmigiano grattugiato
pepe di mulinello

Setacciate la farina sulla spianatoia, fate una fontana larga e metteteci le uova e il Parmigiano. Amalgamate un po' con la forchetta portando verso il centro parte della farina, poi impastate per una decina di minuti. Formate una palla e lasciatela riposare per una mezz'ora, a temperatura ambiente, avvolta nella pellicola.

Dopo il riposo, dividetela in 4 pezzi e, dopo averli un po' stesi con il matterello, passateli uno alla volta fra i rulli della macchinetta cominciando dallo spessore più largo e, via via, attraverso tutti gli altri per arrivare fino al penultimo, conservando i pezzi in attesa nella pellicola, per evitare che si secchino in superficie. Non lasciate asciugare le strisce di pasta ma tagliatele subito a quadrati di 5-6 cm di lato.

Avvolgete ogni quadrato, in diagonale, sul bastoncino infarinato e passatelo sulla tavoletta rigata, infarinata, premendo leggermente per rigare la pasta e far ben aderire i lembi sovrapposti. Otterrete così una sorta di penna rigata. Sistemate i garganelli su un panno spolverato di farina e lasciateli un po' asciugare.

Sono ottimi anche conditi con il ragù classico (pp. 38, 41) ma, per apprezzare il sapore della pasta, è meglio condirli più semplicemente. Tagliate il prosciutto a listarelle e raccoglietelo in una casseruolina con la metà del burro a pezzetti. Mettetelo sul fuoco, con la fiamma piccola al minimo, e fatelo scaldare poco, in modo che il prosciutto non si secchi e non scolorisca. Scaldate una zuppiera riempiendola d'acqua bollente. Cuocete i garganelli per qualche minuto in acqua salata in ebollizione, scolateli, svuotate la zuppiera dall'acqua e versateceli dentro. Unite subito il Parmigiano, il burro col prosciutto, il resto del burro a fiocchetti e una macinata abbondante di pepe.
Amalgamate bene e servite immediatamente, possibilmente in piatti caldi.

LASAGNE DI CARNEVALE

Ingredienti per 6-8 persone

400 g di **lasagne secche di grano duro** (non all'uovo)
300 g di **ricotta di pecora**
250 g di **fiordilatte**
100 g circa di **Parmigiano** grattugiato

Per il ragù:
500 g di **polpa di maiale**
1 **cipolla**
1 costa di **sedano**
1 piccola **carota**
4 cucchiai d'**olio extravergine d'oliva**
½ bicchiere di **vino rosso**
1 cucchiaio di **concentrato di pomodoro**
600 g di **passata di pomodoro**
sale e pepe

Per le polpettine:
200 g di **carne di manzo macinata**
1 **uovo**
50 g di **mollica di pane** raffermo
Parmigiano grattugiato
sale
olio extravergine d'oliva

Preparate il ragù con un giorno di anticipo. Dopo averli mondati, tritate carota, sedano e cipolla e versateli in una casseruola a fondo pesante insieme con l'olio e la polpa di maiale. Mettete la casseruola sul fuoco e fate rosolare tutto a fuoco dolce, mescolando spesso e girando ogni tanto il pezzo di carne. Dopo circa 20 minuti, quando carne e verdure sono leggermente colorite, rialzate la fiamma e versate il vino. Quando è sfumato, insaporite con sale e pepe e mettete sul fondo il concentrato a fiocchetti. Ancora qualche minuto e versate la passata. Coprite, abbassate la fiamma al minimo e fate cuocere per un paio d'ore unendo, quando necessario, un mestolino d'acqua calda.

Per le polpettine, bagnate la mollica nell'acqua, strizzatela bene e raccoglietela in una terrina con la carne macinata, l'uovo, il formaggio e un pizzico di sale. Impastate con le mani e formate tante polpettine delle dimensioni di una nocciola. Scaldate poco olio in una padella antiaderente, unite le polpettine e fatele friggere a fuoco vivace per pochi minuti, ruotando la padella in modo da farle colorire in maniera uniforme.

Il giorno dopo, fate bollire l'acqua per la pasta in una pentola larga con il sale e un cucchiaio d'olio e lessate le lasagne poche alla volta, scolandole al dente. Passatele subito in acqua fredda e allargatele su un panno (pulitissimo e inodore). Tagliate il fiordilatte a fettine sottili e rendete cremosa la ricotta lavorandola un po' con la forchetta.

Versate poco ragù sul fondo di una pirofila e fate uno strato di lasagne, sopra metteteci uno strato di ricotta e di seguito un po' di ragù, il Parmigiano, qualche polpettina e le fettine di fiordilatte. Coprite con altre lasagne e continuate alternando gli ingredienti. Coprite l'ultimo strato di lasagne con abbondante ragù, Parmigiano e fettine di fiordilatte. Mettete le lasagne nel forno a 180 °C per una mezz'ora e lasciatele poi riposare per almeno 20 minuti prima di servirle.

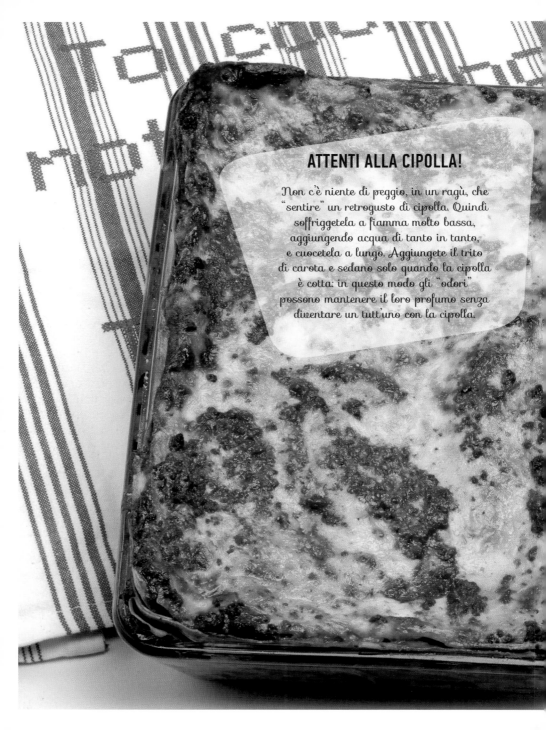

ATTENTI ALLA CIPOLLA!

Non c'è niente di peggio, in un ragù, che "sentire" un retrogusto di cipolla. Quindi soffriggetela a fiamma molto bassa, aggiungendo acqua di tanto in tanto, e cuocetela a lungo. Aggiungete il trito di carota e sedano solo quando la cipolla è cotta: in questo modo gli "odori" possono mantenere il loro profumo senza diventare un tutt'uno con la cipolla.

LASAGNE VERDI AL RAGÙ

Ingredienti per 6-8 persone

Per il ragù:

400 g di **polpa di manzo**
o **vitellone** tritata

1 **fegatino di pollo**

50 g di **pancetta tesa**

2 cucchiai d'**olio
extravergine d'oliva**

½ bicchiere di **vino rosso**

2-3 mestoli di **brodo di carne**

1 noce di **burro**

1 **cipolla** media

1 **carota** piccola

1 costa di **sedano**

rosmarino

1 cucchiaio colmo
di **concentrato di pomodoro**

sale e pepe

Preparate il ragù con un giorno di anticipo. Tritate finissima la pancetta insieme alla cipolla e a qualche aghetto di rosmarino. Separatamente, tritate anche sedano e carota. Per ottenere una rosolatura perfetta della carne, iniziate la preparazione del ragù in una padella ampia e poi trasferitelo in una casseruola per terminare la cottura. Scaldate dunque olio e burro nella padella e fate appassire dolcemente il trito di cipolla e pancetta. Mantenete la fiamma a metà, mescolate spesso e fate rosolare per una ventina di minuti in modo che la cipolla cuocia lentamente senza bruciacchiarsi e la pancetta si fonda perfettamente.

A questo punto unite sedano e carota, mescolate e dopo pochi minuti alzate la fiamma e unite la carne sbriciolata, sgranandola in padella con la forchetta. Mescolatela quasi di continuo in modo da favorire l'evaporazione dell'acqua e, quando la carne è ben rosolata e colorita (circa 20 minuti), bagnate con il vino unendolo in 2 o 3 volte. Quando il vino è ben sfumato, insaporite la carne con sale e pepe e unite il concentrato diluito in una tazza d'acqua calda. Mescolate e, a questo punto, trasferite il ragù in una casseruola a fondo pesante. Coprite e proseguite la cottura a fuoco dolce per circa 3 ore, mescolando spesso e unendo mezzo mestolo di brodo caldo (o acqua) quando necessario.

Verso la fine della cottura, dopo 2 ore e mezzo, ripulite il fegatino da nervetti e parti grasse, lavatelo, asciugatelo e mettetelo nel ragù in ebollizione. Dopo un paio di minuti tiratelo su, tritatelo finissimo e unitelo di nuovo al ragù, dove terminerà la cottura. L'aggiunta del fegatino è facoltativa, ma "lega" il ragù dandogli corpo e sapore.

>>>

Per la pasta:
400 g di **farina 00**
3 **uova**
100 g di **spinaci**

Sciacquate ripetutamente gli spinaci e scottateli brevemente con la sola acqua rimasta aderente dopo il lavaggio, poi tirateli su, lasciateli intiepidire e strizzateli fortemente fra le mani. Tritateli grossolanamente con il coltello evitando di frullarli, altrimenti con l'impasto assorbiranno troppa farina.

Setacciate la farina sulla spianatoia, fate una fontana larga e metteteci le uova intere e gli spinaci. Prima lavoratela un po' con la forchetta e poi impastate per una decina di minuti finché la pasta è liscia e setosa. Raccoglietela a palla e lasciatela riposare per una mezz'ora, a temperatura ambiente, avvolta nella pellicola, mentre preparate la besciamella.

Dividete la pasta in 4 pezzi e, dopo averli un po' appiattiti con il matterello, passateli uno alla volta fra i rulli della macchinetta cominciando dallo spessore più largo e, via via, attraverso tutti gli altri per arrivare fino al penultimo (conservate i pezzi

Per completare:
besciamella
100 g di **Parmigiano** grattugiato
1 noce di **burro**

in attesa tenendoli avvolti nella pellicola). Una volta pronte, lasciate asciugare le strisce di pasta per una decina di minuti prima di tagliarle a rettangoli di 25x12 cm circa. Poche alla volta, cuocete le lasagne per un paio di minuti in abbondante acqua salata in ebollizione, alla quale va aggiunto un cucchiaio d'olio. Tiratele su e passatele in una ciotola d'acqua fredda leggermente salata. Sgocciolatele subito e allargatele su un panno, pulitissimo e inodore.

Imburrate un'ampia pirofila rettangolare e coprite il fondo con uno strato di pasta spalmandoci sopra un leggero strato di ragù. Sul ragù fate cadere qua e là qualche ciuffo di besciamella senza spalmarla troppo e poi spolverate con il Parmigiano. Continuate alternando gli strati e finendo con poco ragù e uno strato abbondante di besciamella ben spalmata e con una spolverata di Parmigiano. Distribuiteci sopra qualche fiocchetto di burro e passate la pirofila nel forno a 200 °C per una mezz'ora scarsa. Lasciate riposare le lasagne per almeno 10 minuti prima di servirle.

Besciamella

1 l di **latte**
80 g di **burro**
80 g di **farina 00**
sale
pepe bianco

Scaldate il latte. Fate fondere il burro in una casseruola a fondo pesante e, mescolando con il cucchiaio di legno, unite la farina setacciata. Continuate a mescolare e, quando il composto comincia a schiumare, ritirate la casseruola dal fuoco e unite il latte caldo e il sale: durante questa operazione, mescolate energicamente con la frusta per evitare che si formino grumi.

Rimettete la casseruola sul fuoco con la fiamma a metà e mescolate fino a quando si alza il bollore. Lasciate cuocere dolcemente per una decina di minuti e alla fine regolate il sale e unite una macinata di pepe bianco.

MACCHERONI ALLA CHITARRA
CON SUGO DI AGNELLO E PEPERONE

Ingredienti per 4-6 persone

Per la pasta:
200 g di **farina 00**
200 g di **farina di grano duro**
(semola rimacinata)
4 **uova**

Per il sugo:
400 g di **polpa di agnello**
(spalla o coscio)
1 grosso **peperone giallo**
250 g di **pomodori** pelati
4 cucchiai d'**olio**
extravergine d'oliva
vino bianco
2 spicchi d'**aglio**
2 foglie di **alloro**
pecorino grattugiato
peperoncino
sale

Setacciate le due farine sulla spianatoia, fate una fontana larga e rompeteci le uova. Amalgamate un po' con la forchetta portando poca farina verso il centro, poi impastate per almeno un quarto d'ora. Formate una palla e fate riposare la pasta per una mezz'ora, a temperatura ambiente, avvolta nella pellicola.

Tagliate la polpa di agnello a pezzettini molto piccoli. Scaldate l'olio in un tegame a fondo pesante e fate rosolare dolcemente gli spicchi d'aglio schiacciati e il peperoncino sminuzzato. Quando l'aglio ha preso colore, eliminatelo e mettete nel tegame i pezzettini di agnello. Rialzate la fiamma e fate ben rosolare la carne, mescolando quasi di continuo. Quando ha preso un bel colore e comincia ad attaccarsi, sfumate con due dita di vino, salate e unite i pelati sminuzzati e le foglie di alloro; poi mettete il coperchio e abbassate la fiamma.

Lavate il peperone, ripulitelo dai semi e dalle nervature chiare e tagliatelo a dadini. Unitelo al sugo di agnello e proseguite la cottura per ancora un'ora. A fine cottura, assaggiate per regolare il sale.

Dividete la pasta in 3 pezzi e, dopo averli un po' stesi con il matterello, passateli uno alla volta fra i rulli della macchinetta cominciando dallo spessore più largo e, via via, attraverso tutti gli altri per arrivare fino al quarto: conservate i pezzi in attesa avvolti nella pellicola, per evitare che si secchino in superficie. Passate la striscia sulla chitarra.

Cuocete i maccheroni in abbondante acqua salata in ebollizione per 5 minuti e scolateli tirandoli su con un forchettone. Passateli nel piatto di servizio e conditeli con il sugo di agnello. Spolverateli di formaggio e serviteli ben caldi.

MALFATTINI CON IL BRODO DI SEPPIA

Ingredienti per 4 persone

Per la pasta:
100 g di **farina 00**
1 **uovo**
noce moscata
scorza di ½ **limone** non trattato

Per il brodo:
1 o 2 **seppie**, per un totale
di circa 800 g
1 **cipolla** piccola
1 spicchio d'**aglio**
prezzemolo
scorza di 1 **limone** non trattato
100 g di **passata di pomodoro**
3 cucchiai d'**olio**
extravergine d'oliva
vino bianco
sale e **pepe**

Per prima cosa preparate la pasta, anche il giorno prima. Setacciate la farina sul tavolo, fate la fontana e metteteci l'uovo, una grattata di noce moscata e la scorza di limone grattugiata. Impastate energicamente per qualche minuto, poi raccogliete la pasta a palla, avvolgetela nella pellicola e lasciatela riposare per mezz'ora.

Trascorso questo tempo, stendetela con il matterello ottenendo un disco di sfoglia spesso 2-3 mm e lasciatelo un po' asciugare (non seccare!) mentre preparate il brodo.

Svuotate le seppie, spellatele e lavatele sotto un getto d'acqua fino ad averle completamente bianche, poi asciugatele con la carta da cucina e spezzettatele. Mettetele nel bicchiere del mixer e frullatele per ottenere un insieme di pezzetti piccolissimi.

Preparate un trito finissimo con lo spicchio d'aglio e una manciatina di prezzemolo. Tritate la cipolla e fatela appassire molto dolcemente in una casseruola con l'olio. Quando è ben cotta ma prima che prenda colore, aggiungete il trito di aglio e prezzemolo, mescolate e dopo un minuto aggiungete la seppia tritata e rialzate la fiamma. Insaporite con sale e pepe e mescolate di continuo per qualche minuto.

Quando la seppia si è un po' asciugata, sfumate con un dito di vino e di seguito aggiungete la passata di pomodoro e fate insaporire per 5-6 minuti, sempre a fuoco vivace. Quindi versate nella casseruola l'acqua calda necessaria per la minestra (circa 1 litro), aggiungete 2 strisce di scorza di limone e fate cuocere, a fuoco lento e con il coperchio, per una mezz'ora.

Mettete il disco di pasta sul tagliere e tritatelo con la mezzaluna o con un coltello pesante per ottenere granelli irregolari simili ai chicchi di riso. Poi allargateli su un panno.

Assaggiate il brodo per regolare il sale, poi calate i malfattini e fateli cuocere per 4-5 minuti.

RICONOSCERE LA SEPPIA FRESCA

Per sapere se è fresca, accertatevi che la carne
non abbia macchie, sia soda e brillante,
e che gli occhi siano lucenti! Se l'inchiostro
è denso e granuloso, la seppia è stata surgelata.
D'inverno trovate seppie fresche anche
di 300 g; fra agosto e settembre, invece,
non superano mai i 100 g. Infine,
cuocetela sempre brevemente, altrimenti
le carni induriscono.

NOODLE AI GAMBERETTI

Ingredienti per 4 persone

200 g di **noodle**
(vermicelli cinesi di frumento)
150 g di **gamberetti**
100 g di **germogli di soia**
2 spicchi d'**aglio**
1 **peperoncino fresco**
succo di ½ **limone**
erba cipollina
olio di arachidi
salsa di soia
zucchero
sale

Fate cuocere i vermicelli in acqua salata in ebollizione, poi scolateli e lasciateli in attesa nel colino; per non farli incollare, unite appena un filo d'olio e mescolate bene. Sciacquate rapidamente i gamberetti e sgusciateli. Sciacquate i germogli di soia e allargateli su un panno per asciugarli.

Grattugiate gli spicchi d'aglio. Dividete a metà il peperoncino, eliminate i semi e tagliatelo a striscioline. Scaldate 2 cucchiai d'olio nel wok, unite l'aglio e dopo un minuto aggiungete una presa di zucchero, 2 cucchiai di salsa di soia e il succo di limone.

Ancora un minuto e mettete nel wok i vermicelli, i gamberetti i germogli di soia e il peperoncino. Fate saltare a fuoco vivace per pochi minuti, il tempo che i gamberetti, cuocendo, cambino colore, e il piatto è pronto.

Completate con l'erba cipollina tagliuzzata.

ORECCHIETTE CON LE CIME DI RAPA

Ingredienti per 4 persone

400 g di **orecchiette fresche**
1 kg di **cime di rapa**
3 **acciughe sotto sale**
4 cucchiai d'**olio extravergine d'oliva**
2 spicchi d'**aglio**
sale e **pepe**

Pulite le cime di rapa eliminando la parte dura del gambo e le foglie grandi e tenendo solo le infiorescenze: il peso indicato è abbondante perché per questa preparazione ci sarà molto scarto. Sciacquatele più volte e tagliate a pezzi quelle più grandi. Raschiate le acciughe, sciacquatele rapidamente e dividetele a filetti.

Tradizionalmente, le cime di rapa si fanno lessare insieme alle orecchiette, ma si può anche cuocere prima la verdura e poi la pasta nella stessa acqua.

Mettete sul fuoco una pentola con circa 4 litri d'acqua e appena raggiunge l'ebollizione, salate e calate le cime di rapa. Quando sono tenere, tiratele su con la schiumarola. Scaldate l'olio in una padella ampia e fate rosolare dolcemente gli spicchi d'aglio schiacciati. Appena accennano a dorare, unite i filetti di acciuga e fateli sciogliere nell'olio caldo.

Mettete a cuocere le orecchiette e intanto fate insaporire per qualche minuto le cime di rapa nel soffritto. Scolate la pasta, versatela in padella e fatela saltare per qualche minuto con le verdure prima di servirla ben calda con una macinata di pepe.

Questa preparazione non vuole assolutamente il formaggio; semmai un po' di mollica di pane di grano duro tostata in padella con un filo d'olio.

TAGLIARE LA PASTA

Per tagliare le fettuccine di 2,5-3 mm,
arrotolate ciascuna striscia di pasta e
poi tagliate ciascun rotolo in fette dello
spessore desiderato; quindi srotolate
ciascuna fetta, liberando la fettuccina.

PAPPARDELLE AL CINGHIALE

Ingredienti per 5-6 persone

Per la pasta:
250 g di **farina 00**
150 g di **farina di grano duro**
(semola rimacinata)
5 **uova**

Per il sugo:
500 g di **polpa di cinghiale**
5 cucchiai d'**olio**
extravergine d'oliva
1 bicchiere di **vino rosso**
(preferibilmente Chianti)
1 **cipolla**
1 costa di **sedano**
1 **carota** piccola
1 spicchio d'**aglio**
2 foglie di **alloro**
bacche di ginepro
200 g di **pomodori** pelati
1 cucchiaio di **concentrato**
di pomodoro
sale e **pepe**
Parmigiano grattugiato
(facoltativo)

Setacciate le due farine sulla spianatoia e rompeteci le uova. Amalgamate un po' con la forchetta portando poca farina verso il centro, poi impastate per una decina di minuti. Raccogliete la pasta a palla e fatela riposare per una mezz'ora, a temperatura ambiente, avvolta nella pellicola.

Intanto preparate il sugo: tagliate la polpa di cinghiale a dadini minuscoli (se si preferisce macinarla, va passata una sola volta al macinacarne). Tritate la cipolla con lo spicchio d'aglio e, separatamente, tritate sedano e carota. Scaldate l'olio in un largo tegame a fondo pesante e fate rosolare dolcemente il trito di cipolla controllando che cuocia perfettamente senza colorirsi troppo. Solo ora unite sedano e carota, rialzate la fiamma e dopo qualche minuto mettete nel tegame il cinghiale. Fatelo ben rosolare, mescolando spesso fino a quando comincia ad attaccarsi; a questo punto unite il vino, in 2 o 3 volte.
Quando il vino è sfumato, insaporite con il sale e una generosa macinata di pepe, poi aggiungete i pelati sminuzzati, il concentrato, le foglie di alloro e 5-6 bacche di ginepro schiacciate con la lama del coltello. Mescolate, mettete il coperchio e proseguite la cottura per un paio d'ore, controllando e aggiungendo mezzo mestolo d'acqua calda quando necessario. A fine cottura, assaggiate e regolate il sale.

Dividete la pasta in 4 pezzi e, dopo averli un po' stesi con il matterello, passateli un per volta fra i rulli della macchinetta cominciando dallo spessore più largo e, via via, attraverso tutti gli altri per arrivare fino al penultimo, tenendo i pezzi in attesa nella pellicola, per evitare che la loro superficie si secchi. Fate asciugare le strisce di pasta per una decina di minuti prima di tagliarle a fettucce di 2,5-3 cm. In attesa di cuocerle, allargatele su un panno spolverato di farina.

Cuocete le pappardelle per 2-3 minuti in abbondante acqua salata in ebollizione, tiratele su con un forchettone lasciandole un po' scivolose e passatele nel tegame con il sugo. Mescolate bene e servitele subito. L'uso del Parmigiano è facoltativo.

PASSATELLI IN BRODO

Ingredienti per 4-5 persone

Per l'impasto:
120 g di **Parmigiano** grattugiato
100 g di **mollica di pane secco**
(non condito) grattugiata
3 **uova**
scorza grattugiata di ½ **limone**
non trattato
1 grossa noce di **midollo di bue**
(facoltativo)
noce moscata
sale
pepe bianco

Per la cottura:
1,5 l circa di **brodo di carne**

Raccogliete in una ciotola il Parmigiano grattugiato, la mollica, la scorza di limone grattugiata, una generosa grattata di noce moscata, una presa di sale (poco) e una macinata di pepe. Schiacciate il midollo con la lama del coltello e unitelo al miscuglio, poi sbattete le uova e versatele nella terrina.

Prima amalgamate un po' con la forchetta, poi impastate a lungo con le mani così da ottenere un composto molto omogeneo, piuttosto sodo ma non troppo duro: se è un po' appiccicoso e si attacca alle mani, aggiungete poco pane; se è troppo duro, ammorbiditelo con un cucchiaio di brodo.

Dividete il composto in 4 pezzi e, rotolandoli fra i palmi, modellateli a forma di palla e chiudeteli, separatamente, nella pellicola. Conservateli in frigorifero fino al momento di preparare la minestra (anche per molte ore).

Mettete il brodo sul fuoco e, quando si alza il bollore, abbassate la fiamma. Mettete una palla di impasto alla volta nell'apposito utensile (uno schiacciapatate, un tritacarne senza la lama a croce o il ferro tradizionale a forma di scudo concavo e bucherellato) e preparate i passatelli: è meglio se li lasciate cadere direttamente nel brodo. Quando sono tutti a galla, lasciateli sul fuoco ancora per pochi minuti, poi spengete e lasciate riposare qualche minuto la minestra prima di versarla nella zuppiera e servirla.

PICI CON LE BRICIOLE

Ingredienti per 4 persone

Per la pasta:
300 g di **farina 00**
100 g di **farina di grano duro**
(semola rimacinata)
sale

Per il condimento:
3 cucchiai d'**olio**
extravergine d'oliva
100 g di **mollica di pane**
non condito
2 spicchi d'**aglio**
peperoncino
pecorino toscano, **romano**
o **sardo** grattugiato

Setacciate le farine sulla spianatoia, fate una fontana larga e versateci una presa di sale e un bicchiere grande di acqua tiepida (circa 200 ml). Amalgamate brevemente con la forchetta portando un po' di farina verso il centro e poi impastate energicamente per 10 minuti: la pasta deve venire piuttosto dura, quindi se necessario aggiungete poca farina. Formate una palla e fate riposare la pasta per una mezz'ora avvolta nella pellicola.

Quando ha riposato, stendetela con il matterello formando un rettangolo grossolano di circa 1 cm di spessore, poi tagliate la pasta a striscioline e rotolatele sulla spianatoia, una alla volta, con le mani aperte in modo da trasformarle in grossi spaghettoni (3-4 mm di diametro). Spolverateli di semola e allargateli su un panno.

Preparate il condimento spezzettando la mollica e frullandola con il mixer. Scaldate poi l'olio in una padella e fate rosolare a fuoco molto dolce gli spicchi d'aglio schiacciati e il peperoncino, quindi rialzate un po' la fiamma e aggiungeteci la mollica, facendola rosolare finché si colora leggermente.

Cuocete i pici per 5-6 minuti in abbondante acqua salata in ebollizione e scolateli tirandoli su con un forchettone. Passateli nel piatto di servizio, cospargeteli con un filo d'olio, mescolateli rapidamente e conditeli con le briciole e il pecorino grattugiato.

GLUTEN FREE

Se si usa una farina per pane gluten free,
questa ricetta è adatta anche a chi soffre di
celiachia: la farina di grano saraceno, infatti,
non contiene glutine.

PIZZOCCHERI VALTELLINESI

Ingredienti per 4-5 persone

Per la pasta:
300 g di **farina di grano saraceno**
100 g di **farina 00** setacciata
sale

Per il sugo:
300 g di **cavolo verza**
1-2 **patate** (200 g circa)
150 g di **burro**
200 g di **Bitto** fresco o **Casera**, formaggi tipici della Valtellina
100 g di **Grana** grattugiato
3 spicchi d'**aglio**
6 foglie di **salvia**
sale e **pepe**

Sfogliate la verza, lavatela ed eliminate la costa centrale dalle foglie più grandi. Sbucciate le patate, tagliatele a tocchetti e lasciatele immerse nell'acqua. Tagliate il formaggio a fettine o a dadini.

Miscelate le due farine sulla spianatoia, fate una fontana larga, metteteci una presa di sale e l'acqua tiepida necessaria (circa un bicchiere) per avere un impasto sodo. Prima amalgamate con la forchetta portando un po' di farina verso il centro, poi impastate per 5 minuti fino a quando la pasta è bella liscia. Dividetela in 2 pezzi e stendetene uno alla volta con il matterello fino a uno spessore di circa 3 mm. Tagliate la sfoglia a strisce larghe 10 cm, poi infarinatele, impilatele e tagliatele a fettucce di circa mezzo centimetro. Allargatele poi su un panno infarinato.

Mettete l'acqua sul fuoco in una pentola capiente e, quando bolle, salatela e metteteci la verza e le patate, che dovranno cuocere per circa 10 minuti prima di unire i pizzoccheri. Mentre le verdure cuociono, fate fondere il burro in una piccola padella con gli spicchi d'aglio ben schiacciati e 6 foglie di salvia. Lasciate rosolare a fuoco dolce per qualche minuto finché l'aglio imbiondisce, poi ritirate la padella dal fuoco.

Trascorsi i 10 minuti, calate i pizzoccheri nella pentola con le verze: se sono appena fatti, dovranno cuocere non più di 5-6 minuti. A questo punto mettete i formaggi vicino al fornello e, con la schiumarola, tirate su pasta e verdure e disponetele a strati in un piatto di servizio profondo. Su ogni strato mettete una macinata di pepe, una spolverata di Grana, le fettine di formaggio. Su tutto versate il burro rosolato e, senza mescolare, passate per qualche minuto il piatto nel forno caldo ma spento, giusto il tempo che serve a far fondere il formaggio.

È un piatto bello calorico che dovrebbe essere servito come sostanzioso piatto unico.

SCIALATIELLI AL BASILICO CON POMODORI E ZUCCHINE

Ingredienti per 4 persone

Per la pasta:
200 g di **farina 00**
200 g di **farina di grano duro**
(semola rimacinata)
2 cucchiai colmi di **pecorino dolce** grattugiato
1 **uovo**
100 ml di **latte**
8 foglie di **basilico**
1 cucchiaio d'**olio extravergine d'oliva**
sale

Per il sugo:
2 **zucchine** piccole
250 g di **pomodorini**
3 cucchiai d'**olio extravergine d'oliva**
2 **scalogni**
1 spicchio d'**aglio**
basilico
sale e **pepe**

Lavate e asciugate le foglie di basilico, poi tagliatele a *julienne* molto sottile. Setacciate le farine sulla spianatoia e miscelatele con il pecorino: se invece del pecorino dolce usate quello romano, molto salato, non dovrete aggiungere il sale. Fate la fontana e metteteci l'uovo intero, il latte e, nel caso, una presa di sale. Prima amalgamate un po' gli ingredienti con la forchetta, poi aggiungete il basilico e impastate energicamente per una decina di minuti. Infine formate una palla, avvolgetela nella pellicola e fatela riposare per una decina di minuti, a temperatura ambiente.

Con il matterello, stendete la pasta sulla spianatoia infarinata per ottenere una sfoglia molto spessa (3-4 mm). Lasciatela un po' asciugare prima di ritagliare gli scialatielli, una sorta di grosse tagliatelle lunghe 10-12 cm e larghe 3-4 mm. Quando sono pronti, spolverateli con la semola e allargateli sopra un panno.

Lavate e spuntate le zucchine e tagliatele a julienne. Lavate i pomodorini e divideteli a metà. Scaldate 2 cucchiai d'olio in una padella e fate rosolare dolcemente gli scalogni affettati. Quando cominciano a prender colore, unite le zucchine, insaporitele con sale e pepe e fatele cuocere a fiamma vivace per pochi minuti. Scaldate un cucchiaio d'olio in un'altra padella e fate rosolare lo spicchio d'aglio schiacciato. Quando l'aglio è dorato, scartatelo e mettete in padella i pomodorini. Insaporite con sale e pepe e fateli saltare a fuoco vivo per pochi minuti.

Cuocete gli scialatielli in abbondante acqua salata in ebollizione per circa 4 minuti. Scolateli al dente e versateli nella padella con i pomodori. Unite anche il contenuto della padella con le zucchine e fate saltare il tutto per un minuto. Levate dal fuoco e cospargete la pasta con abbondante basilico sminuzzato prima di servire.

STRACCI CON GLI ASPARAGI

Ingredienti per 4 persone

Per la pasta:
200 g di **farina 00**
100 g di **farina di grano duro**
(semola rimacinata)
2 **uova**

Per il condimento:
500 g di **asparagi** sottili
o selvatici
50 g di **prosciutto crudo** affettato
2-3 cucchiai d'**olio**
extravergine d'oliva
30 g circa di **burro**
Parmigiano grattugiato
sale e **pepe**

Setacciate le farine sulla spianatoia, metteteci le uova e 4 cucchiai d'acqua fredda, quindi amalgamate un po' con la forchetta portando poca farina verso il centro, prima di impastare per una decina di minuti. Formate una palla e fatela riposare per una mezz'ora, a temperatura ambiente, avvolta nella pellicola.

Spezzate gli asparagi con le mani dove finisce la parte verde: se sono freschi e turgidi, il punto in cui si rompono naturalmente divide la parte tenera commestibile da quella fibrosa da scartare. Scaldate l'olio in una padella, unite gli asparagi e insaporiteli con sale e pepe. Aggiungete mezzo mestolo d'acqua calda e fate cuocere dolcemente gli asparagi, con il coperchio, fino a quando saranno cotti ma ancora consistenti.

Dividete la pasta in 3 pezzi e, dopo averli un po' stesi con il matterello, passateli uno alla volta fra i rulli della macchinetta cominciando dallo spessore più largo e, via via, attraverso tutti gli altri per arrivare fino al quarto; conservate i pezzi in attesa nella pellicola, per evitare che la superficie si secchi. Mettete la striscia di pasta sul tavolo e tagliatela a quadrati di 3-4 cm di lato, poi passate ogni quadrato nella macchinetta attraverso tutti gli altri spessori, assottigliandolo in modo da ottenere uno straccio di pasta un po' irregolare.

Cuocete gli stracci in abbondante acqua salata in ebollizione e intanto scaldate gli asparagi: aggiungeteci il prosciutto tagliato a listarelle, che non dovrà cuocere ma soltanto scaldarsi. Scolate gli stracci lasciandoli un po' scivolosi, versateli in un piatto da portata profondo e conditeli con gli asparagi al prosciutto e il burro a fiocchetti. Mescolate bene e completate con una bella spolverata di Parmigiano.

TAGLIATELLE ASPARAGI E SCAMPI

Ingredienti per 4 persone

Per la pasta:
200 g di **farina 00**
150 g di **farina di grano duro**
(semola rimacinata)
2 uova
3 tuorli
½ cucchiaio d'**olio**
extravergine d'oliva

Per il sugo:
500 g di **asparagi**
di media grandezza
300 g di **scampi**
3 cucchiai d'**olio**
extravergine d'oliva
1 grosso **scalogno**
sale
pepe bianco di mulinello

Setacciate sulla spianatoia le due farine, fate la fontana, aggiungete le uova, i tuorli e l'olio d'oliva; impastate energicamente per una decina di minuti, fino ad avere una pasta liscia e setosa. Avvolgetela nella pellicola e lasciatela riposare per una mezz'ora, a temperatura ambiente. Dividetela poi in 3 pezzi e, dopo averli stesi un po' con il matterello, passateli uno alla volta fra i rulli della macchinetta cominciando dallo spessore più largo, attraverso tutti gli altri fino ad arrivare al penultimo. Una volta pronte, lasciate asciugare le strisce di pasta per una decina di minuti prima di passarle nell'apposita trafila per ricavare le tagliatelle. Via via che sono pronte, formate delle matassine e accomodatele su un panno leggermente infarinato.

Tenendolo per le estremità, rompete gli asparagi con le mani: se sono freschi e turgidi, il punto in cui si rompono naturalmente divide la parte tenera commestibile da quella fibrosa da scartare. Lavate le punte ottenute, tagliatele a tronchetti di 2-3 cm e cuocetele a vapore per 6-7 minuti, in modo che rimangano consistenti. Una volta pronte, passatele subito in acqua e ghiaccio per fermare la cottura e conservarle belle verdi.

Lavate gli scampi e fateli sgocciolare bene. Dividete a metà lo scalogno e affettatelo sottilmente. Scaldate l'olio in una padella e fateci appassire dolcemente lo scalogno, poi ritirate la padella dal fuoco. Sguaciate gli scampi e, via via che sono pronte, mettete le code nella padella. A lavoro ultimato, premete forte la testa degli scampi fra pollice e indice, lasciando cadere nella padella la sostanza cremosa che contiene.

Mettete a cuocere la pasta. Rimettete la padella sul fuoco e fate cuocere le code di scampi per un minuto prima di aggiungere gli asparagi. Aggiungete sale e pepe e fate insaporire per un paio di minuti a fuoco dolce. Scolate le tagliatelle al dente, versatele nella padella con un mestolino dell'acqua di cottura e fatele saltare nel condimento per un minuto. Portatele in tavola caldissime, direttamente nella padella, passando a parte il macinino del pepe.

SGUSCIARE GLI SCAMPI

È semplice preparare gli scampi: tirando
la testa da una parte e la coda dall'altra,
la testa si stacca. Con le forbici, poi tagliate
il bordo laterale del guscio, in modo
da liberare la polpa della coda.
Infine, usando uno stuzzicadenti,
tirate via il budellino nero dorsale.

TAGLIATELLE CON IL CONIGLIO

Ingredienti per 4 persone

400 g di **tagliatelle**
o **pappardelle fresche**
Parmigiano grattugiato

Per il sugo:
la metà anteriore di un **coniglio**
compresi testa e fegato
4 cucchiai d'**olio**
extravergine d'oliva
½ bicchiere di **vino rosso**
(Chianti)
2 cucchiai di **concentrato**
di pomodoro
2 mestoli di **brodo**
1 **cipolla** media
1 costa di **sedano** verde
1 **carota** piccola
1 spicchio d'**aglio**
1 rametto di **rosmarino**
sale e **pepe**

Per questa preparazione usate le spalle, la testa e la parte superiore del dorso di un coniglio. Staccate la testa e le spalle incidendole all'articolazione, poi lavate e asciugate tutti i pezzi. Dopo aver eliminato i bulbi oculari, dividete la testa a metà, in verticale.

Mondate e lavate cipolla, sedano, carota, aglio e rosmarino, e preparate un trito. Mettete sul fuoco un tegame a fondo pesante con l'olio, unite il trito e, appena comincia a sfrigolare, aggiungete i pezzi di coniglio. Regolate la fiamma a metà e fate soffriggere dolcemente per circa 15 minuti, in modo che carne e verdure si rosolino contemporaneamente.

Insaporite con sale e pepe e, quando il soffritto è ben asciugato, bagnate con il vino e rialzate la fiamma. Mescolate e, appena il vino è sfumato, unite il concentrato di pomodoro diluito in una tazza d'acqua calda. Mettete il coperchio, abbassate la fiamma e proseguite la cottura per un'ora abbondante, fino a quando la carne comincia a staccarsi dall'osso; aggiungete qualche cucchiaio di brodo quando il fondo si asciuga.

Cinque minuti prima della fine della cottura, lavate e asciugate il fegato, frullatelo e amalgamatelo al fondo di cottura. Infine disossate il coniglio (testa compresa), tritate la polpa a coltello e rimettetela nel tegame. Ancora qualche minuto e il sugo è pronto: assaggiatelo per regolare il sale. Cuocete le tagliatelle, scolatele al dente, conditele con il sugo di coniglio e servitele spolverate con abbondante Parmigiano grattugiato.

CASTAGNE SENZA GLUTINE

La farina di castagne è priva di glutine:
è per questo che, volendo una pasta con
più corpo, elasticità e consistenza, in questa
ricetta la si mescola con un'analoga quantità
di farina di frumento. Basta usare una
farina specifica per celiaci per adattare
questa ricetta alle loro necessità dietetiche.

TAGLIATELLE DI FARINA DI CASTAGNE

Ingredienti per 4-5 persone

Per la pasta:
200 g di **farina di castagne**
200 g di **farina di grano duro**
(semola rimacinata)
3 **uova**
1 **tuorlo**
1 cucchiaio d'**olio extravergine d'oliva**

Per il condimento:
250 g di **ricotta di pecora**
pecorino grattugiato
maggiorana fresca
pepe

Setacciate le due farine sulla spianatoia, fate la fontana e metteteci le uova, il tuorlo e un cucchiaio d'olio. Amalgamate un po' con la forchetta portando poca farina verso il centro e poi impastate per una decina di minuti fino a che la pasta è bella liscia ed elastica. Raccoglietela a palla, avvolgetela nella pellicola e lasciatela riposare, a temperatura ambiente, per una mezz'ora.

Trascorso questo tempo, dividetela in 3 o 4 pezzi e, dopo averli stesi un po' con il matterello, passateli uno alla volta nella macchinetta cominciando dallo spessore più largo e, via via, attraverso tutti gli altri per arrivare fino al penultimo: conservate i pezzi in attesa nella pellicola, per evitare che la loro superficie si secchi. Una volta pronte, lasciate asciugare le strisce di pasta per una decina di minuti, ben distese, prima di tagliarle in strisce di 7-8 mm. In attesa di cuocerle, allargatele su un vassoio coperto da un panno leggermente infarinato.

Setacciate la ricotta nella ciotola dove condirete la pasta e mescolatela con mezzo cucchiaio di foglioline di maggiorana e una macinata abbondante di pepe. Cuocete le tagliatelle in abbondante acqua salata in ebollizione: se sono appena fatte bastano 2 minuti di cottura, dalla ripresa del bollore. Diluite la ricotta con 2 cucchiai dell'acqua di cottura, poi tirate su le tagliatelle con un forchettone e mescolatele delicatamente con il condimento.

Vanno servite belle calde, accompagnate con il pecorino grattugiato. Sono ottime anche con il classico pesto al basilico.

BUSTINE DI NERO

Il nero di seppia si trova anche in commercio sotto forma di bustine costituite dal nero ricavato dalle seppie, acqua e sale. È meno profumato di quello fresco, ma non ha niente di artificiale e, usato negli impasti, dà buoni risultati.

TAGLIATELLINE NERE
CON SEPPIE E GAMBERETTI

Ingredienti per 4-5 persone

Per la pasta:
200 g di **farina 00**
100 g di **farina di grano duro**
(semola rimacinata)
3 **uova**
la vescichetta
dell'**inchiostro di una seppia**
(quella usata per fare il sugo)

Per prima cosa, pulite la seppia per recuperare la vescichetta con l'inchiostro. Aprite dunque la sacca della seppia con le forbici e staccate delicatamente la vescichetta, facendo attenzione a non romperla; poi mettetela da parte e svuotate completamente la sacca eliminando l'osso e la pellicina scura. Separate i tentacoli ed eliminate il becco e gli occhi. Lavate tutto e tagliate la sacca a striscioline sottili. Mettete la seppia così preparata nel frigorifero mentre preparate la pasta.

Setacciate le due farine sulla spianatoia, fate una fontana larga e rompete al centro le uova, poi schiacciate la vescichetta dentro un colino lasciando colare l'inchiostro nella fontana. Amalgamate prima un po' con la forchetta, poi impastate per una decina di minuti e alla fine formate una palla, avvolgetela nella pellicola e fatela riposare per una mezz'ora a temperatura ambiente.

>>>

Dopo il riposo, dividete la pasta in 3 o 4 pezzi e, dopo averli stesi un po' con il matterello, passateli uno alla volta fra i rulli della macchinetta cominciando dallo spessore più largo e, via via, attraverso tutti gli altri per arrivare fino al penultimo: conservate i pezzi in attesa avvolti nella pellicola, per evitare che si secchino in superficie.

Una volta pronte, lasciate le strisce di pasta ben distese ad asciugare per una decina di minuti prima di tagliarle in modo da ricavare delle tagliatelline di 3-4 mm di larghezza. Formate delle matassine e mettetele in attesa su un vassoio, coperto da un panno leggermente infarinato.

Per il sugo:
1 **seppia** molto
fresca di 400 g circa
150 g di **gamberetti**
3-4 cucchiai d'**olio**
extravergine d'oliva
2 **scalogni**
vino bianco
scorza grattugiata
di ½ **limone** non trattato
sale e **pepe**

Per completare:
1 **pomodoro** maturo
tagliato a dadini
prezzemolo tritato

Preparate il sugo: affettate gli scalogni e fateli appassire dolcemente in una padella con l'olio. Quando cominciano a prendere colore, aggiungete la seppia, rialzate la fiamma e fatela andare a fuoco vivace fino a quando comincia ad attaccarsi. Insaporite con sale e pepe e sfumate con 2 dita di vino.

Abbassate la fiamma, mettete il coperchio e fate cuocere per circa 20 minuti, unendo ogni tanto un paio di cucchiai d'acqua calda.

Sciacquate i gamberetti, sgusciateli e aggiungeteli alla seppia negli ultimi 2 minuti di cottura. Al momento di condire la pasta, unite la scorza di limone grattugiata.

Cuocete le tagliatelline per 2-3 minuti in abbondante acqua salata in ebollizione, scolatele al dente lasciandole un po' scivolose e conditele con il sugo di seppie e gamberetti. Per dare ulteriore colore alla preparazione, cospargetele con il pomodoro a dadini e il prezzemolo tritato.

TAGLIOLINI AL RAGÙ BIANCO

Iniziate preparando il ragù bianco in questo modo. Tritate la cipolla e, separatamente, anche la carota e la costa di sedano con 2 foglie di salvia e qualche aghetto di rosmarino. Scaldate l'olio in un tegame a fondo pesante, unite la cipolla e fatela appassire dolcemente per almeno 15 minuti, controllando spesso e facendo attenzione che non scurisca.

Nel frattempo, passate per 2 volte le carni al tritacarne. Quando la cipolla è ben cotta, unite il trito, alzate la fiamma e, dopo qualche minuto, aggiungete la carne sbriciolata, sgranandola bene con la forchetta.

Tenendo la fiamma sempre alta, mescolate continuamente per favorire l'evaporazione e, quando tutto è ben rosolato, insaporite con sale (poco) e pepe. Quindi aggiungete 2 mestoli di brodo caldo, abbassate la fiamma, mettete il coperchio e fate cuocere per circa 2 ore, unendo altro brodo caldo via via che il ragù si asciuga.

È un ragù molto buono e profumato ma, data l'assenza del vino e del pomodoro che normalmente coprono un po' i sapori, è necessario usare carni ottime e del vero brodo di carne.

>>>

Setacciate la farina sulla spianatoia, fate una fontana larga e metteteci le uova, i tuorli e un cucchiaio scarso d'olio. Prima amalgamate un po' al centro con la forchetta, poi impastate per una decina di minuti fino a quando la pasta diventa liscia e setosa. Avvolgetela nella pellicola e fatela riposare a temperatura ambiente per una mezz'ora.

Dopo il riposo, dividete la pasta in 3 o 4 pezzi e, dopo averli un po' stesi con il matterello, passateli uno alla volta fra i rulli della macchinetta cominciando dallo spessore più largo e, via via, attraverso tutti gli altri per arrivare fino al penultimo: conservate i pezzi in attesa avvolti nella pellicola, per evitare che si secchino in superficie.

Una volta preparate le strisce di pasta, lasciatele asciugare ben distese per una decina di minuti, prima di passarle all'apposita trafila ricavando i tagliolini sottili. Via via che i tagliolini sono pronti, formate delle matassine e accomodatele su un vassoio coperto da un panno leggermente infarinato.

Per completare:
Parmigiano grattugiato
1 noce di **burro**

Al momento di andare in tavola, cuocete i tagliolini in abbondante acqua salata in ebollizione e scolateli dopo 2 minuti, lasciandoli un po' scivolosi. Tenete da parte un po' dell'acqua di cottura: servirà per rimediare se il sugo o la pasta sono troppo asciutti.

Versate i tagliolini in una zuppiera riscaldata e conditeli con una noce di burro a fiocchetti e con il ragù. Mescolate bene con due forchette e spolverateli di Parmigiano. Serviteli caldissimi insieme ad altro Parmigiano a parte.

In stagione, si può arricchire la preparazione con una manciata di pisellini freschi, quelli piccolissimi, che possono essere aggiunti al ragù negli ultimi 10 minuti di cottura.

PASTA FRESCA RIPIENA

AGNOLOTTI DELLE LANGHE
CANNELLONI CON BASILICO, MOZZARELLA E POMODORO
CAPPELLACCI DI ZUCCA
CASUNZIEI AMPEZZANI
CIALZON DI PATATE
PANSOTI ALLA BORRAGINE
RAVIOLI CINESI
RAVIOLI DI MAGRO
RAVIOLI DI RAZZA CON IL SUGO DI PESCE
ROTOLO
TORTELLI DI CECI CON SUGO DI BACCALÀ
TORTELLI DI MELANZANE
TORTELLI DI ZUCCA MANTOVANI
TORTELLINI

AGNOLOTTI DELLE LANGHE

Ingredienti per 8 persone

Per il ripieno:
300 g di **polpa di maiale**
200 g di **noce di vitellone**
1 **coscia di coniglio**
1 piccolo cespo di **scarola**
40 g di **burro**
3 cucchiai d'**olio
extravergine d'oliva**
50 g di **Parmigiano** grattugiato
3 **uova**
1 mestolo di **brodo**
1 **cipolla**
1 costa di **sedano**
1 **carota**
1 rametto di **rosmarino**
noce moscata
sale e **pepe**

Per prima cosa preparate il ripieno: tagliate tutte le carni a bastoncini. Tritate grossolanamente sedano, carota e cipolla. Scaldate l'olio e il burro in un largo tegame a fondo pesante, unite il trito e un rametto di rosmarino e fateli appassire per qualche minuto.

Prima che le verdure prendano colore, aggiungete le carni, rialzate la fiamma e fate ben rosolare per una decina di minuti, mescolando spesso. A questo punto insaporite con sale e pepe, mettete il coperchio, abbassate un po' la fiamma e proseguite la cottura per circa 45 minuti. Mescolate ogni tanto e aggiungete mezzo mestolo di brodo via via che la carne si asciuga.

Mentre cuoce la carne, sfogliate la scarola, lavatela e scottatela per un paio di minuti in acqua salata in ebollizione. Scolatela, strizzatela forte fra le mani e unitela alla carne per farla insaporire 5 minuti prima di finire la cottura.

Quando la carne è pronta, passate tutto il contenuto del tegame al macinacarne lasciandolo cadere in una ciotola. Aggiungete il Parmigiano, le uova, una grattata di noce moscata e amalgamate bene con le mani. Assaggiate e regolate il sale, poi sigillate la ciotola con la pellicola e fate riposare il composto in frigorifero per almeno qualche ora.

Per la pasta:
500 g di **farina 00**
3 **uova**
2 **tuorli**
1 manciata di **semola**

Setacciate la farina sulla spianatoia, fate la fontana e metteteci le uova, i tuorli e un cucchiaio d'acqua. Amalgamate un po' con la forchetta portando poca farina verso il centro e poi impastate per una decina di minuti. Formate una palla, avvolgetela con la pellicola e lasciatela riposare per una mezz'ora.

Dividete la pasta in 4 o 5 pezzi e, dopo averli un po' appiattiti con il matterello, passateli uno alla volta ai rulli della macchinetta cominciando dallo spessore più largo e, via via, attraverso tutti gli altri, per arrivare fino all'ultimo: avvolgete i pezzi in attesa nella pellicola, perché non si secchino in superficie. Ottenete così una striscia di pasta molto sottile.

Disponete sulla striscia di pasta, a distanza regolare e sulla stessa linea, una serie di mucchietti di ripieno grandi quanto una ciliegia. Ripiegateci sopra il lembo di pasta e premetelo bene in modo che aderisca alla pasta sottostante. Infine saldate i singoli agnolotti, pizzicando la pasta fra l'uno e l'altro (con un *plin*, un pizzicotto, come dicono in Piemonte) oppure tagliando la pasta con la rondella.

Per il condimento:
100 g di **burro**
foglie di **salvia**
Parmigiano grattugiato

Se volete mangiarli asciutti, confezionateli belli grossi; invece se li volete servire in brodo, fateli molto più piccoli.

Prima della cottura, copriteli con un altro panno e lasciateli riposare per un paio d'ore. Poi cuoceteli per 4-5 minuti in abbondante acqua salata in ebollizione. Tirateli su con la schiumarola e conditeli con il burro rosolato a fuoco dolce insieme con abbondanti foglie di salvia. Completate il piatto con una bella spolverata di Parmigiano grattugiato.

CANNELLONI CON BASILICO, MOZZARELLA E POMODORO

Ingredienti per 4-6 persone

Per la pasta:
300 g di **farina 00**
2 **uova**
1 **tuorlo**
1 cucchiaio d'**olio extravergine d'oliva**
2 cucchiai di **Parmigiano** grattugiato
12 foglie di **basilico** (varietà ligure)

Per il ripieno:
250 g di **ricotta di pecora**
250 g di **mozzarella di bufala**

Per fare la pasta, raccogliete nel mixer le uova, il tuorlo, l'olio, il Parmigiano e 12 foglie di basilico. Frullate per un minuto alla massima velocità. Setacciate la farina sulla spianatoia, fate una fontana larga e versateci il miscuglio. Amalgamate un po' con la forchetta portando poca farina verso il centro e poi impastate per una decina di minuti. Formate una palla e lasciatela riposare avvolta nella pellicola per una mezz'ora, a temperatura ambiente.

Setacciate la ricotta e, se è molto umida, lasciatela sgocciolare per qualche ora, in frigorifero, dentro un colino. Tagliate la mozzarella a fette e asciugatele bene con la carta da cucina, poi frullatele e unitele alla ricotta. Assaggiate e, se necessario, aggiungete il sale. Mescolate bene e trasferite questa crema nel sac à poche con la bocchetta liscia da 1,5 cm.

Dividete la pasta in 2 pezzi e, dopo averli un po' appiattiti con il matterello, stendeteli uno alla volta e passateli fra i rulli della macchinetta cominciando dallo spessore più largo e, via via, attraverso tutti gli altri, per arrivare fino all'ultimo; conservate i pezzi in attesa nella pellicola, per evitare che si secchino in superficie.

Tagliate le strisce di pasta in 12 rettangoli (di circa 8x10 cm). Mettete una pentola d'acqua salata a bollire con un cucchiaio d'olio e cuoceteli per poco più di un minuto, poi sgocciolateli e passateli in una ciotola di acqua fredda leggermente salata. Sgocciolateli subito e allargateli su un panno, pulitissimo e inodore.

Con il sac à poche, deponete una striscia di crema di ricotta sul lato corto dei rettangoli e arrotolateli. Spennellate di burro fuso una pirofila e accomodateci i cannelloni, uno accanto all'altro con la chiusura verso il basso, quindi spennellate di burro anche i cannelloni e passateli nel forno a 200 °C per circa 20 minuti.

Intanto preparate la salsa con la quale cospargerete i cannelloni appena sfornati.

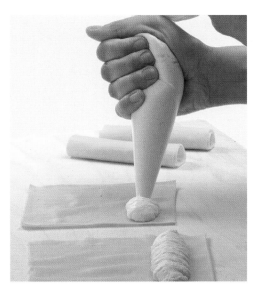

Per la salsa:

2 **pomodori** di media grandezza ben maturi

1 cucchiaio colmo di **Parmigiano** grattugiato

30 g di **pinoli**

2 cucchiai d'**olio extravergine d'oliva**

20 foglie di **basilico**

1 piccolo spicchio d'**aglio**

sale

Preparate la salsa: dopo averli incisi a croce sulla base, tuffate i pomodori per pochi secondi in acqua bollente, poi passateli nell'acqua fredda, spellateli, privateli dei semi e tritateli grossolanamente.

Salateli e fateli ben sgocciolare in un colino. Lavate e asciugate 20 foglie di basilico, e mettetele nel mixer con i pinoli, i pomodori, l'olio e lo spicchio d'aglio.

Frullate e alla fine aggiungete il Parmigiano grattugiato.

LA ZUCCA GIUSTA

Per ogni piatto esiste "la zucca giusta":
fra le tante varietà che esistono, trovate
quella che più si adatta al vostro gusto,
dalla Marina di Chioggia alla zucca
barucca, dalla zucca violina alla zucca
americana... sono tutte a polpa soda,
zuccherina e ricca di amido. Escludete
però quelle a frutto lungo, tipiche del Sud:
non sono adatte ai ripieni.

CAPPELLACCI DI ZUCCA

Ingredienti per 4-6 persone

Per la pasta:
400 g di **farina 00**
4 **uova**

Per il ripieno:
1,5 kg circa di **zucca mantovana**
130 g di **Parmigiano** grattugiato
noce moscata
sale e **pepe**

Tagliate la zucca a grossi spicchi (ci vuole un po' di forza), eliminate la parte filamentosa interna con i semi e sistemate gli spicchi sulla placca del forno, con la scorza verso il basso. Lasciateli cuocere a 180 °C finché la polpa è tenera.

Nel frattempo, amalgamate la farina con le uova e impastate energicamente per una decina di minuti, poi raccogliete la pasta a palla e fatela riposare per almeno mezz'ora, avvolta nella pellicola.

Quando la zucca è pronta, lasciatela intiepidire, quindi raschiando con un cucchiaio, senza insistere vicino alla scorza, raccogliete la polpa morbida. Passatela al passaverdure con il disco più fine e pesatene 500 g, che metterete in una ciotola con il Parmigiano, un'abbondante grattugiata di noce moscata, poco sale e il pepe.

Impastate con le mani fino a che il composto è omogeneo, poi assaggiate e aggiustate il sale. Tenete presente che, se questo ripieno riposa una mezza giornata, il risultato sarà migliore.

>>>

Dividete la pasta in 4 pezzi, appiattiteli un po' con il matterello e passatene uno alla volta alla macchinetta, cominciando dallo spessore più largo e via via, attraverso tutti gli altri, arrivando all'ultimo: conservate i pezzi in attesa avvolti nella pellicola, per evitare che si secchino in superficie.

Dividete la striscia di pasta in quadrati di circa 8 cm di lato e mettete al centro di ciascun quadrato una noce del ripieno. Chiudete in diagonale e premete bene tutto intorno in modo da saldare la pasta, poi unite i due angoli della diagonale e stringete forte fra pollice e indice. Quindi piegate in su la punta del triangolo a formare il cappellaccio.

Via via che sono pronti, sistemateli su un panno infarinato; se ne avete preparati in abbondanza, potete surgelarne una parte dopo averli scottati per un minuto in acqua bollente.

Per il condimento:
80 g **burro**
foglie di **salvia**
Parmigiano grattugiato

Fate soffriggere dolcemente il burro con qualche foglia di salvia. Cuocete i cappellacci per 3-4 minuti in abbondante acqua salata in ebollizione e scolateli tirandoli su con la schiumarola.

Allargateli nel piatto da portata e conditeli prima con un'abbondante pioggia di Parmigiano grattugiato, e poi con il burro alla salvia.

Sono ottimi anche conditi con un ragù di carne (pp. 38, 41) o con un ragù di salsiccia.

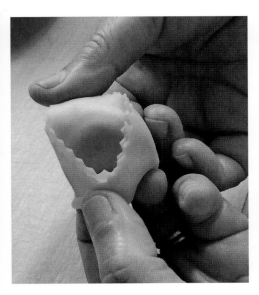

CASUNZIEI AMPEZZANI

Setacciate la farina sulla spianatoia, fate la fontana, metteteci le uova e 3 cucchiai di latte. Amalgamate un po' con la forchetta portando poca farina verso il centro, poi impastate per una decina di minuti. Formate una palla e lasciate riposare la pasta per una mezz'ora a temperatura ambiente, avvolta nella pellicola. Intanto preparate il ripieno.

Pelate le barbabietole e passatele da una grattugia a fori grossi. Fate fondere il burro in una padella, unite le barbabietole e fatele asciugare, a fuoco medio, mescolando quasi di continuo. Quindi trasferitele in una terrina e lasciatele raffreddare. Intanto passate la ricotta dalla grattugia e aggiungetela alle barbabietole insieme all'uovo sbattuto, una macinata di pepe e una presa di sale. Amalgamate e aggiungete il pangrattato, regolando la quantità in modo da avere un composto abbastanza consistente. Assaggiate per regolare il sale.

Dividete la pasta in 3 pezzi e, dopo averli un po' appiattiti con il matterello, passateli uno alla volta alla macchinetta cominciando dallo spessore più largo e via via fino all'ultimo, in modo da ottenere una striscia di pasta sottile: tenete i pezzi in attesa avvolti nella pellicola, per evitare che si secchino in superficie. Con un tagliapasta da 6 cm, tagliate la pasta a dischetti. Mettete su ogni dischetto un mucchietto di ripieno e chiudetelo a mezzaluna, poi premete tutto intorno con i rebbi della forchetta.

Mettete sul fuoco l'acqua e intanto preparate il condimento. Pestate leggermente nel mortaio, o con il batticarne, i semi di papavero e fateli rosolare dolcemente per 5 minuti in una piccola padella con il burro. Cuocete i casunziei per pochi minuti nell'acqua salata in ebollizione, tirateli su con la schiumarola e passateli nel piatto da portata, condendoli con il burro e i semi di papavero e spolverandoli con il formaggio grattugiato.

CIALZON DI PATATE

Ingredienti per 4-5 persone

Per la pasta:
300 g di **farina 00**
3 **uova**

Per il ripieno:
500 g di **patate**
50 g di **burro**
1 **cipolla** piccola
prezzemolo
menta fresca
2 cucchiai di **grappa**
2 cucchiai di **pangrattato**
1 cucchiaio di **zucchero**
½ cucchiaio
di **cannella** in polvere
sale

Per il condimento:
80 g di **burro**
100 g di **ricotta affumicata**

Mettete le patate sul fuoco con acqua salata fredda. Setacciate la farina sulla spianatoia, fate la fontana e rompeteci le uova. Amalgamate un po' con la forchetta portando poca farina verso il centro, poi impastate per una decina di minuti. Formate una palla e lasciate riposare la pasta per una mezz'ora, a temperatura ambiente, avvolta nella pellicola.

Quando le patate sono cotte, pelatele e, ancora calde, mettetele in una terrina e schiacciatele con la forchetta per ottenere un impasto granuloso. Tagliate la cipolla a spicchi e fatela rosolare dolcemente nel burro, poi, quando ha preso un leggero colore, eliminatela e unite alle patate il burro aromatizzato. Tritate una manciatina di prezzemolo con 4 o 5 foglie di menta e unitela alle patate insieme al pangrattato, mezzo cucchiaio di cannella, zucchero, grappa e una presa di sale.

Dividete la pasta in 4 pezzi e, dopo averli un po' stesi con il matterello, passateli uno alla volta fra i rulli della macchinetta cominciando dallo spessore più largo e, via via, attraverso tutti gli altri, fino ad arrivare all'ultimo: conservate i pezzi in attesa nella pellicola, per evitare che si secchino in superficie.

Ritagliate la sfoglia in dischi di 6 cm e mettete un cucchiaino di ripieno su ogni disco, chiudendolo poi a mezzaluna e premendo la pasta intorno al ripieno per far uscire l'aria; poi ripiegate il bordo su se stesso formando un rotolino. Cuocete i cialzon in abbondante acqua salata in ebollizione, tirateli su con la schiumarola e conditeli con burro fuso e ricotta grattugiata.

PANSOTI ALLA BORRAGINE

Ingredienti per 4-5 persone

Per la pasta:
300 g di **farina 00**
3 **uova**

Per il ripieno:
500 g di **borragine**
200 g di foglie tenere
di **bietola** o di **erbette**
150 g di **ricotta**
2 **uova**
50 g di **Parmigiano** grattugiato
1 noce di **burro**
maggiorana
noce moscata
sale

Per la salsa:
80 g di gherigli di **noce**
40 g di **mollica di pane**
non condito
1 spicchio d'**aglio**
latte
1 cucchiaio di **ricotta**
2 cucchiai d'**olio**
extravergine d'oliva
maggiorana
sale

Setacciate la farina sulla spianatoia, fate una fontana larga e rompeteci le uova. Amalgamate con la forchetta portando poca farina verso il centro, poi impastate e formate una palla che lascerete riposare per una mezz'ora, a temperatura ambiente, avvolta nella pellicola.

Pulite la borragine e la bietola e lavatele più volte, poi scottatele per 2 minuti in acqua salata bollente. Dopo averle scolate, lasciatele intiepidire e strizzatele fortemente fra le mani prima di tritarle a coltello. Fate fondere il burro in una padella, unite la verdura e fatela asciugare, a fuoco vivo, mescolando. Versatela in una terrina e, quando è tiepida, unite la ricotta, il Parmigiano, le uova, la noce moscata, una bella presa di foglioline di maggiorana e amalgamate bene.

Dividete la pasta in 3 o 4 pezzi e dopo averli un po' stesi con il matterello, passateli uno alla volta fra i rulli della macchinetta cominciando dallo spessore più largo e, via via, attraverso tutti gli altri, per arrivare all'ultimo: conservate i pezzi in attesa nella pellicola, per evitare che si secchino in superficie.

Tagliate le strisce di sfoglia a quadrati di 6-7 cm di lato e farciteli con un mucchietto di ripieno grande quanto una ciliegia, poi chiudetelo a triangolo premendo bene tutto intorno e rifinendo i bordi. Sistemate i pansoti su un panno infarinato.

Preparate la salsa: immergete le noci per qualche minuto in acqua bollente, poi con un coltellino appuntito togliete la pellicina. Bagnate la mollica nel latte, strizzatela e mettetela nel mortaio con le noci e poco aglio grattugiato. Pestate fino ad avere una crema omogenea e granulosa, poi amalgamate con olio, ricotta e un pizzico di maggiorana. Se risulta troppo densa, diluitela con un goccio di acqua di cottura dei pansoti.

Cuocete i pansoti per 3-4 minuti in acqua salata bollente, tirateli su con la schiumarola e conditeli con la salsa di noci o con burro, pinoli e maggiorana come i corzetti (p. 30).

RAVIOLI CINESI

Ingredienti per 4 persone

Per la pasta:
400 g di **farina 00**
1 bicchiere e mezzo
d'**acqua** bollente
sale

Per il ripieno:
400 g di **polpa di maiale**
(spalla, collo o lombata)
con la sua parte di grasso
200 g di **cavolo cinese** o **verza**
1 **cipollotto** fresco
2 cucchiai di **salsa di soia**
1 grossa noce di **zenzero**
2 cucchiaini di **olio
di sesamo cinese**
1 cucchiaino di **fecola di patate**
2-3 **funghi neri** secchi (facoltativi)
1 **uovo**

Per il condimento:
1 cucchiaio di **salsa di soia**
½ cucchiaio di **aceto di riso**

Setacciate la farina in una ciotola ampia, miscelatela con una presa di sale e, mentre mescolate con una forchetta, unite l'acqua bollente versandola poca alla volta. Quando avrete unito tutta l'acqua ottenendo un ammasso di grumi, versate tutto sulla spianatoia e impastate pochi minuti, prima di formare una palla. Avvolgete la pasta nella pellicola e fatela riposare una mezz'ora.

Mettete a bagno i funghi in acqua tiepida. Passate la carne 2 volte al macinacarne. Lavate le foglie di cavolo, asciugatele e tritatele abbastanza finemente a coltello. Raccoglietele in una terrina con la carne, i funghi strizzati e tritati, il cipollotto tritato (anche la parte verde), lo zenzero grattugiato, la salsa di soia e l'olio di sesamo. Amalgamate bene e lasciate riposare un po' il ripieno. Dopo il riposo, il cavolo avrà buttato fuori un po' d'acqua: scolatela premendo il composto che amalgamerete con l'uovo sbattuto e la fecola di patate.

Quando la pasta ha riposato, formando un grosso cilindro di circa 2 cm di diametro. Tagliatelo a pezzi di 20-22 g l'uno, infarinateli e rotolateli sul tavolo premendo con il palmo per formare delle palline regolari. Da ogni pallina otterrete un dischetto di pasta leggermente più spesso al centro, che stenderete con il matterello: riempitelo col ripieno e mettetelo su un vassoio coperto con un panno infarinato.

Fate bollire 2 litri d'acqua leggermente salata e calate i ravioli. Mescolate delicatamente con il cucchiaio di legno per non farli attaccare e cuoceteli a leggera ebollizione per 8-9 minuti, fino a quando vengono tutti a galla e la pasta diventa leggermente traslucida e quasi trasparente. Tirateli su con la schiumarola e serviteli subito accompagnati da una salsina fatta con un cucchiaio di salsa di soia e mezzo di aceto di riso.

RAVIOLI DI MAGRO

Ingredienti per 5-6 persone

Per la pasta:
400 g di **farina 00**
3 **uova**
2 **tuorli**

Per il ripieno:
400 g di **ricotta di pecora**
1 kg di **bietole** o **erbette**
2 **uova**
50 g di **Parmigiano** grattugiato
noce moscata
1 cucchiaio di **prezzemolo** tritato
sale e **pepe**

Per il condimento:
80 g di **burro**
timo
rosmarino
2 spicchi d'**aglio**
Parmigiano grattugiato
(facoltativo)

Setacciate la farina sulla spianatoia, fate una fontana larga e metteteci uova e tuorli. Amalgamate un po' con la forchetta portando poca farina verso il centro e poi impastate per una decina di minuti. Formate una palla e fatela riposare per una mezz'ora, a temperatura ambiente, avvolta nella pellicola.

Eliminate il gambo delle bietole e lavatele più volte, poi cuocetele per 4 minuti in acqua salata bollente, scolatele e quando sono tiepide, strizzatele fortemente fra le mani e tritatele con il coltello. Raccoglietele in una terrina con la ricotta, un cucchiaio di prezzemolo tritato, le uova sbattute, il Parmigiano, una grattata di noce moscata, sale e pepe. Amalgamate molto bene e assaggiate per regolare il sale.

Dividete la pasta in 4 pezzi e poi stendeteli un po' con il matterello, passateli uno alla volta alla macchinetta cominciando dallo spessore più largo per arrivare all'ultimo: i pezzi in attesa restano nella pellicola per evitare che si secchino in superficie. Quando la prima striscia è pronta, disponete su tutta la lunghezza una serie di mucchietti di ripieno grandi quanto una piccola noce, distanziati di 5-6 cm. Ripiegateci sopra il lembo di pasta, premete intorno al ripieno e sigillate. Con la rotella dentata, ritagliate dei quadrati belli grandi e sistemateli su un panno infarinato.

Mettete sulla fiamma più piccola una padellina con il burro, qualche ago di rosmarino, un rametto di timo e gli spicchi d'aglio in camicia e rosolate gli odori a fuoco dolcissimo.

Cuocete i ravioli per 3-4 minuti in abbondante acqua salata bollente, tirateli su con la schiumarola e metteteli in un piatto da portata scaldato condendoli con il burro aromatizzato e servendoli subito con il Parmigiano grattugiato a parte.

RAVIOLI DI RAZZA
CON IL SUGO DI PESCE

Ingredienti per 4-5 persone

Per il brodo di pesce:
700-800 g di teste e lische
di pesce: **rombo**, **sogliola**,
scampi, **triglie**, **spigola**
1 **cipolla** media
1 costa di **sedano**
1 **carota** piccola
gambi di **prezzemolo**
pepe in grani
sale

Per la pasta:
300 g di **farina 00**
3 **uova**

Per il ripieno:
1 kg circa di **razza** già spellata
1 cucchiaio di **pangrattato**
molto fresco
aromi del brodo: **sedano**,
carota e **cipolla**

Per prima cosa preparate il brodo di pesce. Mettete a bagno, sotto un filo d'acqua, gli scarti di pesce in modo da eliminare le tracce di sangue, poi sciacquateli bene e raccoglieteli in una casseruola con la cipolla spellata e divisa a metà, la costa di sedano, la carota raschiata e i gambi di prezzemolo legati a mazzetto. Unite un cucchiaino di pepe in grani, una presa di sale e un litro e mezzo d'acqua fredda, quindi mettete la casseruola sul fuoco.

Quando si alza il bollore, abbassate la fiamma al minimo e fate cuocere per una mezz'ora. A cottura ultimata, filtrate il brodo e conservate il sedano, la carota e la cipolla, che serviranno per il ripieno.

Ora preparate la pasta: setacciate la farina sulla spianatoia, fate la fontana e rompeteci le uova. Mescolate un po' con la forchetta portando poca farina verso il centro e poi impastate per una decina di minuti. Raccogliete la pasta a palla e fatela riposare per mezz'ora, avvolta nella pellicola.

Per preparare il ripieno, sciacquate la razza e fatela lessare nel brodo: mettetela a freddo e portatela a ebollizione leggerissima, facendola cuocere per circa 15 minuti. Dopo averla scolata, lasciatela intiepidire e ricavatene la polpa. Tritatela a coltello insieme alla costa di sedano, alla carota e alla cipolla rimaste dal brodo. Raccogliete il trito in una terrina e amalgamatelo con il pangrattato.

>>>

Dividete la pasta in 3 pezzi e, dopo averli un po' stesi con il matterello, passateli uno alla volta fra i rulli della macchinetta cominciando dallo spessore più largo e, via via attraverso tutti gli altri, fino ad arrivare al penultimo: conservate i pezzi in attesa nella pellicola, per evitare che si secchino in superficie.

Disponete sulla striscia di pasta una serie di mucchietti di ripieno distanti circa 3 cm uno dall'altro. Ripiegateci sopra il lembo di pasta, premete bene intorno al ripieno per far uscire l'aria e sigillate. Ritagliate i ravioli con la rotella e allineateli su un panno infarinato.

Per il sugo:

2 **calamari** medi del peso complessivo di 400 g circa

200 g di **gamberetti** sgusciati

200 g di **pomodori** maturi

3 cucchiai d'**olio extravergine d'oliva**

½ bicchiere di **vino bianco**

2 spicchi d'**aglio**

prezzemolo tritato

sale e **pepe**

E ora passate al sugo. Spellate e svuotate i calamari, lavateli e tagliateli a pezzettini. Scaldate l'olio in una padella e fate imbiondire gli spicchi d'aglio schiacciati, poi eliminateli e mettete in padella i calamari. Fateli rosolare a fuoco vivo e, quando sono asciugati, sfumate con il vino.

Aggiungete sale e pepe e poi i pomodori, spellati, privati dei semi e tagliuzzati. Fate cuocere dolcemente per circa 20 minuti, quindi aggiungete i gamberetti e proseguite la cottura per 2-3 minuti.

Cuocete i ravioli per pochi minuti in abbondante acqua salata bollente, scolateli con la schiumarola e conditeli con il sugo di pesce e una spolverata di prezzemolo.

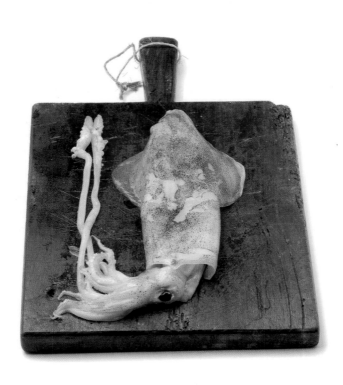

DOSI DA FREEZER

Visto il tempo che ci vuole per preparare
e cuocere il rotolo, le dosi proposte sono
volutamente abbondanti, per poterlo
surgelare e averlo pronto al momento
opportuno. Mettete le fette su un vassoio
coperto con carta da forno, surgelatele
e poi staccatele e riponetele tutte in un
sacchetto da freezer per alimenti.
Non dovrete neanche scongelarle prima
di passarle nel forno a gratinare!

ROTOLO

Ingredienti per 6 persone

Per la pasta:
300 g di **farina 00**
2 **uova**
2 **tuorli**

Setacciate la farina sulla spianatoia di legno su un piano di marmo o una superficie liscia, allargatela al centro e fate la fontana, poi metteteci le uova e i tuorli. Con una forchetta, sbattete leggermente tuorli e albumi e, quando sono ben amalgamati, continuate a sbattere incorporando poco alla volta la farina, prendendola dall'interno della fontana e portandola verso il centro, in modo da evitare che il liquido esca fuori dall'anello di farina.

Aiutandovi con una spatola larga (tarocco, nel linguaggio dei pasticceri), portate tutta la farina sulle uova e ammassatela un po' con le mani. Prima di procedere all'impasto vero e proprio, però, occorre lavarsi le mani, asciugandole bene, in modo da rimuovere i piccoli grumi di pasta che, seccandosi, possono formare dei buchi al momento di stenderla. Per la stessa ragione, pulite con la spatola anche il piano di lavoro.

Ora lasciate la forchetta e impastate energicamente per una decina di minuti: tenete con una mano la parte di pasta rivolta verso di voi e stendete in avanti la pasta facendo forza con la base del palmo dell'altra mano. Riformate il panetto e continuate a lavorare così fino a quando appariranno delle bollicine sulla superficie del panetto, che dovrà essere abbastanza duro perché, anche se può sembrare il contrario, se la pasta è troppo morbida sarà difficile da stendere.

A questo punto formate una palla e lasciatela riposare per almeno mezz'ora a temperatura ambiente, avvolta nella pellicola o coperta con un panno, per evitare che si secchi la superficie.

>>>

Per il ripieno:
400 g di **ricotta di pecora**
500 g di **spinaci** surgelati
2 **uova**
50 g di **Parmigiano** grattugiato
noce moscata
sale e **pepe bianco**

Intanto preparate il ripieno. Cuocete gli spinaci in due dita d'acqua salata in ebollizione, poi scolateli, lasciateli intiepidire e strizzateli fortemente fra le mani. Tritateli finemente con il coltello e raccoglieteli in una terrina con la ricotta ben asciutta (se non lo è, tenetela per una notte in frigofero dentro un colino), con il Parmigiano grattugiato, la noce moscata grattugiata, le uova sbattute, il sale e il pepe. Amalgamate bene e assaggiate per regolare il condimento.

Dividete la pasta in 3 pezzi e, dopo averli appiattiti un po' con il matterello, passateli uno alla volta alla macchinetta, cominciando dallo spessore più largo e, via via, fino al penultimo: conservate i pezzi da lavorare nella pellicola, per evitare che si secchino in superficie. Alla fine avrete ottenuto 3 strisce di pasta di circa 13x45 cm: se i bordi non fossero regolari, rifilateli con il coltello.

Adagiate queste strisce sopra un panno assolutamente inodore, una accanto all'altra, appena sovrapposte, e premete bene con il matterello nei punti dove la pasta è doppia, in modo da ottenere un rettangolo di circa 45x40 cm sul quale spalmerete il ripieno in uno strato regolare.

Per il condimento:
50 g di **burro** fuso
1 manciata di **Parmigiano**
grattugiato

Aiutandovi con il panno, e partendo dal lato più lungo, arrotolate la pasta su se stessa senza stringere troppo.

Poi avvolgete il rotolo con il panno e chiudetelo con lo spago alle due estremità. Fate anche 2 o 3 legature nella lunghezza, lasciandole un po' lente perché con la cottura il rotolo crescerà un po' di volume.

Cuocetelo in una pescera, con acqua salata in leggera ebollizione, per un'ora. A cottura ultimata, lasciatelo un po' intiepidire e poi tagliatelo a fette spesse un dito. Sistematele in una pirofila imburrata e cospargetele di burro fuso e Parmigiano, poi fatele gratinare nel forno a 200 °C per 5-6 minuti.

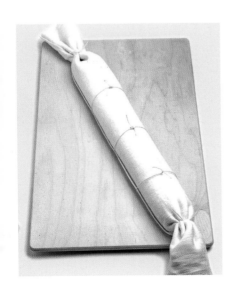

TORTELLI DI CECI
CON SUGO DI BACCALÀ

Ingredienti per 4 persone

Per la pasta:
200 g di **farina 00**
100 g di **farina di grano duro**
(semola rimacinata)
2 **albumi**

Per il ripieno:
300 g di **ceci cotti**
3 cucchiai d'**olio**
extravergine d'oliva
2 spicchi d'**aglio**
rosmarino
sale e **pepe**

Setacciate le farine sulla spianatoia, fate una fontana larga e metteteci gli albumi e mezzo bicchiere d'acqua (circa 90 ml). Amalgamate un po' con la forchetta portando poca farina verso il centro e poi impastate per una decina di minuti. Formate una palla e lasciatela riposare a temperatura ambiente, avvolta nella pellicola.

Preparate il ripieno: versate l'olio in una ciotolina e unite gli spicchi d'aglio affettati e abbondanti foglioline di rosmarino. Coprite la ciotolina e passatela nel microonde per 2 minuti con la potenza al minimo. Lasciate raffreddare e di nuovo altri 2 minuti alla minima potenza: in questo modo l'olio si aromatizza in maniera decisa senza friggere.

Vista la poca quantità di ceci che si usa, poi, andranno bene anche quelli in scatola già cotti: generalmente, nei reparti di alimenti biologici ne esistono di molto buoni. Volendo cuocerli in casa occorre metterli prima in ammollo per almeno 8 ore, o meglio di più, se i ceci non sono freschi di raccolto.

Sia per l'ammollo che per abbreviare la cottura, è diffusa l'abitudine di addolcire l'acqua con il bicarbonato: funziona davvero, ma altera abbastanza il sapore dei legumi. In generale, è preferibile usare sempre un'acqua oligominerale (cioè quasi priva di sali), cambiando quella dell'ammollo. Inoltre, per abbreviare la cottura, basta usare la pentola a pressione: saranno sufficienti 45-50 minuti dal momento del primo fischio.

Passate i ceci tiepidi al passaverdura con il disco fine e condite il passato con l'olio aromatizzato, dopo aver buttato aglio e rosmarino; poi aggiustate di sale e pepe.

Dividete la pasta in 3 pezzi e, dopo averli un po' stesi con il matterello, passateli uno alla volta fra i rulli della macchinetta cominciando dallo spessore più largo e, via via, attraverso tutti gli altri, fino ad arrivare al penultimo: conservate i pezzi in attesa nella pellicola, per evitare che si secchino in superficie.

Disponete lungo ogni striscia di pasta delle "nocciole" di purea di ceci, distanziandole circa 3 cm, poi ripiegate il lembo di pasta libero e premete intorno al ripieno per far uscire tutta l'aria e sigillare bene ciascun raviolo. Con la rotella tagliate i tortelli quadrati e sistemateli su un vassoio coperto con un panno spolverato di semola.

Per il sugo:

200 g circa di **baccalà** ammollato

1 grossa **cipolla rossa**

3 cucchiai d'**olio extravergine d'oliva**

vino bianco

rosmarino

pepe

Preparate il sugo: dividete la cipolla in quarti e poi affettatela molto sottile. Spellate il baccalà e sminuzzatelo con le mani.

Scaldate l'olio in una padella e fate appassire dolcemente la cipolla senza farle prendere colore, con qualche aghetto di rosmarino.

Quando è morbida e trasparente, salatela leggermente e sfumate con due dita di vino, poi aggiungete il baccalà sminuzzato e fatelo cuocere per pochi minuti.

Cuocete i tortelli in abbondante acqua salata in ebollizione e, appena scolati con la schiumarola, passateli nella padella e fateli saltare per un minuto nel sugo di baccalà.

TORTELLI DI MELANZANE

Ingredienti per 5-6 persone

Per la pasta:
300 g di **farina 00**
2 **uova**
1 **tuorlo**

Per il ripieno:
500 g di **melanzane** estive
150 g di **ricotta di pecora**
1 **uovo**
2 spicchi d'**aglio**
origano
basilico
timo fresco
sale e **pepe**

Scegliete melanzane piccole, affusolate e molto scure, lavatele e dividetele a metà in verticale. Incidetele incrociando i tagli e infilate qua e là qualche fettina d'aglio. Conditele con appena un filo d'olio e passatele nel forno a 200 °C per circa mezz'ora, fino a quando sono tenere. Quando le melanzane sono pronte, lasciatele un po' intiepidire mentre preparate la pasta.

Per la pasta, setacciate la farina sulla spianatoia, fate una fontana larga e metteteci le uova, il tuorlo e 2 cucchiai d'acqua. Amalgamate un po' con la forchetta, poi impastate per una decina di minuti fino a quando la pasta diventa liscia ed elastica. Raccoglietela a palla, avvolgetela nella pellicola e fatela riposare, a temperatura ambiente, per una mezz'ora.

Intanto preparate il ripieno: eliminate le fettine d'aglio dalle melanzane, lasciandone da parte un paio. Svuotate le melanzane con un cucchiaio raschiando bene le scorze. Tritate la polpa a coltello e raccoglietela in una terrina con la ricotta, qualche foglia di basilico sminuzzata, un pizzico di origano, una bella presa di timo, le fettine d'aglio schiacciate, l'uovo intero, il sale e il pepe. Mescolate bene e assaggiate per regolare il sale.

Dividete la pasta in 3 pezzi e, dopo averli un po' appiattiti con il matterello, passateli uno alla volta alla macchinetta cominciando dallo spessore più largo e via via fino all'ultimo, ottenendo così una striscia di pasta sottile: conservate i pezzi in attesa avvolti nella pellicola, per evitare che si secchino in superficie.

Sul lato lungo di ciascuna striscia disponete una serie di mucchietti di ripieno delle dimensioni di una ciliegia, distanti 3 cm uno dall'altro. Ripiegateci sopra il lembo di pasta libero ed eliminate gli spazi vuoti premendo la pasta attorno al ripieno.

Con la rotella dentata ritagliate dei quadrati di pasta e sistemateli su un panno spolverato di semola.

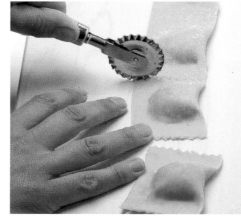

Per la salsa:

500 g di **pomodori** estivi
da salsa ben maturi

3-4 cucchiai d'**olio
extravergine d'oliva**

2 spicchi d'**aglio**

basilico

olio extravergine d'oliva

100 g di **cacioricotta**
(ricotta da grattugia)

Preparate la salsa. Lavate i pomodori, incideteli alla base e tuffateli per mezzo minuto in acqua in ebollizione, passateli nell'acqua fredda e poi spellateli, eliminando i semi. Quindi tritateli con il coltello.

Per ottenere una salsa con il gusto fresco del pomodoro, mettete i pomodori in un colino e lasciateli sgocciolare per una mezz'ora in modo che perdano parte dell'acqua di vegetazione: è un liquido acido che prolunga i tempi di cottura.

Scaldate l'olio in una padella ampia e fate imbiondire dolcemente gli spicchi d'aglio schiacciati. Quando hanno preso colore, eliminateli e mettete in padella i pomodori, abbondante basilico, sale e pepe. Fate cuocere a fuoco medio per poco più di 5 minuti.
A fine cottura eliminate il basilico e sostituitelo con altre foglie fresche sminuzzate.

Cuocete i tortelli in abbondante acqua salata in ebollizione e scolateli dopo 2-3 minuti dalla ripresa dell'ebollizione tirandoli su con una schiumarola. Passateli nella padella con la salsa e fateli saltare delicatamente, poi versateli nel piatto da portata e cospargeteli con la ricotta tagliata a scagliette sottili.

TORTELLI DI ZUCCA MANTOVANI

Ingredienti per 4 persone

Per il ripieno:
1 kg abbondante di **zucca marina**
50 g di **amaretti**
100 g di **mostarda di mele senapata**, ben sgocciolata
40 g di **Parmigiano** grattugiato
noce moscata
sale e **pepe**
½ cucchiaio di **pangrattato** (se serve)

Preparate il ripieno in anticipo, meglio se il giorno prima di servire il piatto. Tagliate la zucca a grossi spicchi, ripuliteli dai filamenti con i semi, metteteli in una teglia e passateli nel forno a 180 °C, lasciandoli cuocere fino a quando la polpa è tenera: ci vorranno da 40 minuti a più di un'ora.

Fate intiepidire la zucca e intanto pestate finemente gli amaretti e tritate la mostarda. Togliete la scorza e le parti eventualmente bruciacchiate della zucca e passate la polpa al passaverdure con il disco fine.

Pesate 250 g di zucca e raccogietela in una terrina con gli amaretti, la mostarda, il Parmigiano, abbondante noce moscata grattugiata, una macinata di pepe e una presa di sale. Amalgamate molto bene impastando con le mani: il composto deve risultare piuttosto consistente; in caso contrario, aggiungete mezzo cucchiaio di pangrattato.

Sigillate la terrina con la pellicola e fate riposare il composto per 12-24 ore, così da dare modo ai sapori di amalgamarsi.

>>>

Per la pasta:
250 g di **farina 00**
2 **uova**

Ora passate alla pasta. Setacciate la farina sulla spianatoia, fate la fontana e metteteci le uova e 2 cucchiai d'acqua. Amalgamate un po' con la forchetta, poi impastate per una decina di minuti, formate una palla e fatela riposare avvolta nella pellicola per una mezz'ora.

Dividete la pasta in 3 pezzi e, dopo averli un po' appiattiti con il matterello, passateli uno alla volta alla macchinetta cominciando dallo spessore più largo e, via via, fino all'ultimo, ottenendo così 3 strisce di pasta sottile: conservate i pezzi in attesa di essere lavorati avvolti nella pellicola, per evitare che si secchino in superficie.

Con la rotella dentata, dividete ogni striscia di pasta a quadrati di 8 cm di lato e mettete una noce d'impasto al centro di ognuno. Piegate tutti quadrati in diagonale, premendo bene intorno al ripieno per far aderire i lembi. Via via che sono pronti, sistemateli su un vassoio coperto da un panno infarinato.

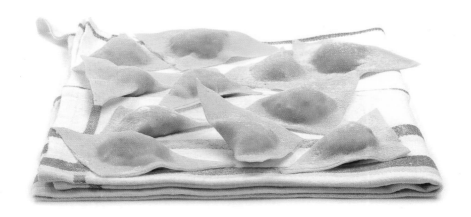

Per il condimento:
100 g di **burro**
Parmigiano grattugiato

Cuocete i tortelli per 4-5 minuti in abbondante acqua salata bollente e, via via che li scolate con la schiumarola, disponeteli a strati in un piatto da portata profondo.

Condite ogni strato con burro fuso e Parmigiano, coprite il piatto con un foglio di alluminio e passatelo per qualche minuto nel forno caldo ma spento.

TORTELLINI

Ingredienti per 10-12 persone

Per il ripieno:
250 g di **polpa di maiale**
(lombo o spalla) con la sua
piccola parte di grasso
150 g di **prosciutto crudo
di Parma** affettato
200 g di **mortadella** affettata
100 g di **Parmigiano** grattugiato
1 **uovo**
olio extravergine d'oliva
noce moscata
sale e **pepe**

Per la pasta:
500 g di **farina 00**
6 **uova**

Prima preparate il ripieno: tagliate la polpa di maiale a fette spesse 1 cm e fatele rosolare in una padella, a fuoco vivo e con un filo d'olio, pochi minuti per parte. Quando la carne ha preso un bel colore deciso, insaporitela con sale (poco) e pepe e ritiratela dal fuoco. Tagliate grossolanamente il prosciutto e la mortadella. Quando la carne è fredda, tagliatela a pezzetti e raccoglietela nel mixer con i salumi. Frullate a velocità media fino a ottenere un composto non troppo fine.

Travasate il miscuglio in una terrina e unite l'uovo intero, il Parmigiano e una grattatina di noce moscata (non troppa!). Amalgamate bene impastando con le mani fino ad avere un composto piuttosto consistente: quando è pronto, assaggiatelo per regolare il sale. Non è necessario, ma il risultato è migliore se il ripieno riposa tutta la notte, ben chiuso, in frigorifero.

Preparate poi la pasta: setacciate la farina sulla spianatoia, fate una fontana larga e rompeteci le uova. Amalgamate un po' sbattendo le uova con la forchetta e portando verso il centro poca farina, poi impastate per una decina di minuti, formate una palla e fate riposare la pasta a temperatura ambiente per una mezz'ora, avvolta nella pellicola.

Prendete un pezzo di pasta pari a circa ¹⁄₆ dell'intero volume, tenendo ben chiusa nella pellicola quella che rimane. Appiattitelo un po' con il matterello e passatelo fra i rulli della macchinetta cominciando dal primo spessore per arrivare fino all'ultimo. Adagiate la striscia sul tavolo poco infarinato e tagliatela a quadrati piccoli (2,5-3 cm di lato). Disponete al centro di ognuno di loro una nocciolina di ripieno e richiudete i tortellini. Continuate così finché finisce la pasta: via via che sono pronti, allineateli su un panno e copriteli con un altro.

Cuocete i tortellini per non più di 3-4 minuti nel brodo di carne bollente e serviteli rigorosamente in brodo. Se li preparate con molto anticipo, potete surgelarli (p. 106). Se invece devono attendere solo qualche ora, teneteli in un luogo fresco.

INDICE DELLE RICETTE

cuciniamo bene

TITOLI IN COLLANA